Les actes du
FORUM
1986

Société Nationale des Acadiens

Les actes du
FORUM
1986

14, 15 et 16 novembre
Memramcook, N.-B.

Collaboration:

**MARIELLE GERVAIS
JEAN-MARIE NADEAU**

Michel Henry éditeur

La Société nationale des acadiens et l'éditeur désirent remercier la société Saint Jean Baptiste pour sa contribution financière, contribution qui à rendu possible la publication de ce livre.

Page couverture: Raymond Thériault

Montage: Michel Henry

© **Michel Henry éditeur ltée, 1987**
C. P. 1273,
Moncton, N.-B., E1C 8P9.
ISBN 2-89368-005-4

FC
2041
. S63
1986

LA SOCIÉTÉ NATIONALE DES ACADIENS

FORUM 86

Avant-propos

La publication des Actes du Forum 86 vise principalement deux objectifs: traduire la perception acadienne de la réalité de l'Acadie à l'orée du 21e siècle, et inventorier sommairement la longue marche déjà parcourue jusqu'à aujourd'hui. Ce livre servira d'outil d'introduction à ceux et celles qui méconnaissent encore l'Acadie et la SNA, et aux Acadiens-nes férus-es d'acadianité d'activer leur réflexion sur la réalité d'aujourd'hui de l'Acadie de l'Atlantique.

Le thème du Forum 86 était "Pour une Acadie en l'an 2000". La dynamique du Forum 86 nous a en effet plutôt entraîné à faire le bilan de ce qu'est l'Acadie de l'Atlantique en 1986 et à mesurer la pertinence de l'outil commun aux Acadiens-nes de l'Atlantique qu'est la Société nationale des Acadiens.

Cet évènement en soi constitue un évènement historique. Réunir plus de 200 Acadiens et Acadiennes des quatre provinces de l'Atlantique a été un excercice tonifiant pour tout le monde. Les délégués-és, les panélistes, les responsables d'ateliers et d'articles, et les invités-es sont les véritables scribes de ce livre qui, espérons-le, deviendra un ouvrage de référence et un outil de motivation pour le nationalisme acadien dans les générations à venir.

Nous tenons à remercier particulièrement Marielle Gervais qui a colligé l'information et rédigé le texte de base, la maison Michel Henry Éditeur, et la Société St-Jean Baptiste dont le don de 5 000 $ a permis cette publication. Nous tenons aussi à remercier le Secrétariat d'État et le Bureau du Québec à Moncton dont les argents ont permis la tenue d'un tel évènement.

Nous fêterons en l'an 2004 le 400e anniversaire de l'arrivée du premier groupe d'Européens et Européennes en Amérique. Ce premier groupe, c'est le peuple acadien. Et ce peuple sera encore debout et fier en l'an 2004!

Jean-Marie Nadeau, secrétaire-général
Le 15 mai 1987

5ième Congrès Acadien, Caraquet, le15 août, 1905.

PREAMBULE

Du passé au présent vers l'avenir

Dès 1881, la première convention nationale des Acadiens[1] donnait forme à un organisme qui allait, au moyen de cinq (5) commissions, se pencher sur les questions suivantes:

1. le choix d'une fête nationale
2. l'éducation
3. l'agriculture
4. l'émigration et la colonisation
5. la presse

Ce programme rencontrait les besoins d'un peuple en volonté de survie et d'identification d'une société.

La Société nationale l'Assomption, peu structurée à cette époque, fut dépassée au début des années cinquante par la Société mutuelle l'Assomption de plus en plus présente dans les milieux acadiens.

La Société nationale des Acadiens fut enfin créée et assura pratiquement le même rôle que la Société nationale l'Assomption soit <u>la défense et la promotion de la vie française en Acadie.</u>

Dès sa création, la Société nationale des Acadiens fit face aux disparités régionales puis à la période de crise qui allait ébranler de nombreuses institutions en Acadie et au Canada français au cours des années soixante.

L'ère des subventions gouvernementales qui suivit, révolutionna les sociétés qui avaient pour but <u>la promotion de la culture française au Canada.</u> Ces appuis ravivèrent la conscience des Acadiens quant à la place qu'ils devaient prendre à tous les niveaux de l'activité humaine et sociale.

Surtout dans les années soixante et soixante-dix, la SNA, délaissant quelque peu les moins nantis de la Nouvelle-Écosse et de l'Ile-du-Prince-Édouard, accorda plus d'attention à la forte concentration d'Acadiens en territoire néo-brunswickois, qui devenaient plus exigeants et revendicateurs que ceux des autres provinces. Ainsi, la première délégation d'Acadiens en France[2], composée exclusivement de personnes éminentes du Nouveau-Brusnwick, revint avec des "cadeaux" (bourses d'études, aide au journal l'Évangéline, etc.) dont bénéficièrent surtout les Acadiens de cette province.

L'entrée en scène du Secrétariat d'État concentra l'action au niveau provincial et aida à la création d'organismes distincts pour chaque province de la région de l'Atlantique. Ainsi, les Acadiens des autres provinces constamment menacés par le processus d'assimilation, purent, en créant leurs propres associations provinciales, obtenir plus facilement des gouvernements, les ressources nécessaires à l'amélioration de leur situation. L'émergeance de ces organismes allait remettre sérieusement en question le rôle historique de la SNA.

Même si le groupe le plus apte à témoigner d'une Acadie vivante et dynamique, sur les scènes nationale et internationale, est celui du Nouveau-Brunswick, cette réalité ne doit pas constituer un obstacle à la représentativité équitable d'une société nationale qui doit bénéficier également à tous les Acadiens de l'Atlantique. Cependant, l'inégalité dans laquelle se trouvent les provinces au niveau de leurs ressources et de leur développement rend le choix difficile entre nourir l'outil commun et l'organisme provincial. La SNA, sans négliger l'ensemble, doit éviter de "régionaliser" ou "provincialiser" l'Acadie.

On en est donc encore à s'interroger, aujourd'hui, sur le rôle spécifique et le fonctionnement d'un organisme ayant pour mission la défense, la promotion et les intérêts d'un peuple quelque peu dispersé sur un vaste territoire constitué de quatre unités provinciales. Les quatre (4) sociétés acadiennes oeuvrant au niveau provincial font actuellement un excellent travail en vue de répondre aux besoins spécifiques de leurs membres. Toutefois, afin d'attaquer les problèmes de portée plus générale tels que les relations de l'Acadie avec l'extérieur, et les dossiers d'intérêts communs aux quatre provinces, il est indéniable, comme l'ont si bien confirmé les délégués au Forum 1986, que la SNA est toute désignée pour l'entretien de liens étroits avec des instances gouvernementales telles que le Conseil des premiers ministres des provinces de l'Atlantique, pour le développement de moyens d'information et de communications ainsi que pour l'établissement d'une plus étroite concertation et d'une représentation valable pour tous les Acadiens de l'Atlantique.

"Les murs de l'Acadie rétrécissent"

Cette affirmation de Irène Guérette évoque le phénomène alarmant de l'assimilation linguistique et culturelle qui ronge les communautés acadiennes de la région de l'Atlantique. Les Acadiens, minoritaires dans leur "pays", subissent un taux d'assimilation qui varie, pour chaque province, de 9 à 77%. Même ceux qui vivent dans des milieux majoritairement francophones comme la péninsule acadienne et la région du nord-ouest du Nouveau-Brunswick doivent s'en inquiéter.

À l'intérieur du territoire très vaste de la région de l'Atlantique, bien que les Acadiens de chaque province évoluent à des rythmes variés dans des structures politiques différentes, ils entretiennent cependant un rêve commun: que leurs communautés "deviennent indépendantes et prennent en main leur propre développement".

En tenant compte des réalités socio-politiques provinciales et nationale actuelles, la Société nationale des Acadiens représente les intérêts de l'ensemble des Acadiens de la région de l'Atlantique. Si, dans le cadre de FORUM 86, ceux-ci adhéraient de façon tacite au principe de la dualité, c'est-à-dire à la cohabitation équitable de deux peuples sur un même territoire, ils confirmaient ce qu'avaient affirmé leurs ancêtres dès leurs premières conventions nationales, soit, non seulement l'existence d'un peuple acadien qui veut se doter d'instruments de reconnaissance en tant que "nation" identifiée par son histoire, son ethnie propre et son territoire "sans frontières", mais pour ce peuple, aujourd'hui, la revendication de moyens efficaces de développement et d'épanouissement.

L'isolement des communautés acadiennes étant un problème véritable, la Société nationale des Acadiens sert de lieu essentiel de concertation et d'échange de ressources dans le but de cultiver l'identité acadienne et d'assurer la visibilité, la reconnaissance, la promotion et le développement du peuple acadien, au moyen d'interventions tant chez les Acadiens que sur la scène canadienne et internationale.

"La force et la vitalité de la SNA et des associations provinciales acadiennes reposera sur la santé culturelle des communautés acadiennes" à la base des organismes qui regroupent les Acadiens autour de leurs divers intérêts sectoriels.

1. Voir Annexe A1.1, Léon Thériault, La première convention nationale -Memramcook, 1881- , p. 54
2. Voir Annexe A 2.4, Louis Landry, Le voyage des quatre Acadiens en France, p. 64

Congrès de Caraquet, 1905

1ère rangée: Sir P.-A. Landry, F-D. Monk, Dr. F.-X. Comeau, Hon Rod. Lemieux, Sén. P. Poirier.
2e rangée: M. C. Martin (prés. élu), O.M. Melanson, H.H. Melanson, Rév. A.D. Cormier, M. l'abbé P.C.
Gauthier, O. Turgeon. 3e rangée: Narcisse Landry, Ambroise D. Richard, Dr. L.-N. Bourque.

INTRODUCTION

"Regarder vers l'avenir des Acadiens, c'est regarder leur condition politique et vouloir l'améliorer(...). La discussion sur l'avenir de l'Acadie ne peut pas continuer à porter sur les symboles, les titres, les noms et les structures d'associations, puis, accessoirement sur ce qui marque la vie de la collectivité à chaque jour. L'avenir dépend en effet des attitudes et de la volonté qui se manifestent dans les comportements quotidiens de l'ensemble des Acadiens." (Jean-Maurice Simard)

L'Acadie sait qu'elle doit prendre sa place au sein des institutions qui exercent effectivement le pouvoir et conditionnent la vie des Acadiens. Cependant, au cours des "concessions" politiques faites par le gouvernement du Nouveau-Brunswick qui manifeste la volonté de reconnaître et vivre la dualité linguistique et culturelle, les Acadiens ont sacrifier à l'équilibre du "donnant donnant", les appellations acadiennes de certains de leurs organismes et institutions, ce qui a quelque peu forcer l'effritement du concept d'acadianité dans une image affaiblie de l'Acadie.

Quel étranger peut deviner le peuple acadien sous la dénomination du Conseil économique du Nouveau-Brunswick ou de l'Université de Moncton?

"Si l'on ne veut pas sombrer dans l'oubli, il faut revitaliser le concept acadien." (Martin Légère) Si ailleurs dans le monde, on appelle l'Acadie, Acadie et ses habitants, des Acadiens, il est abhérant de constater qu'au Nouveau-Brunswick, même certains de nos "leaders" affirment ouvertement que la promotion du terme "ACADIEN" est secondaire en regard des problèmes sociaux et économiques que nous vivons.

Maquiller notre image pour mieux vendre notre produit risque de prostituer la culture à l'économie. Pour certains, il n'y a pas de culture sans économie. Il est vrai, qu'on le veuille ou non, que, dans le contexte actuel, le pouvoir politico-culturel passe par le pouvoir économique. Toutefois, celui-ci saura témoigner de la vitalité de notre culture si l'on ne prostitue pas notre identité au "profit du profit". L'Acadie en particulier doit faire preuve de vigilance: "absorber le progrès sans se laisser absorber par lui". (P. Léger Comeau citant l'UNESCO)

Nationalisme et économie.

Le lien entre nationalisme et économie a évolué. Entre la caisse écolière des origines de la Société l'Assomption et les trois (3) milliards

11

d'aujourd'hui, entre les petits cercles d'études sans le sous des années 1930 à 1950 et les cent quatre-vingt mille (180,000) membres et le demi (1/2) milliard de dollars de la Fédération des caisses populaires acadiennes, il y eut le courage inégalé d'Acadiens qui devaient vaincre un double handicap: faire reconnaître l'existence des qualités et compétences nécessaires à la réussite et ce, en région dévaforisée.

Il est évident que les difficultés économiques de l'est constituent des problèmes complexes et pressants pour le pays. Le gouvernement cherche d'ailleurs à développer l'esprit d'entreprise en initiant des programmes d'actions qui accéléreraient le renouveau économique de la région. Le renforcement de l'assise économique de l'Acadie et une prospérité collective faciliteraient l'ensemble des revendications socio-culturelles. Mais l'Acadien demeurera le seul garant de son identité dans le cadre de la création d'entreprises.

Le mileu des affaires a un rôle essentiel à jouer dans le développement de l'Acadie. Il doit lui fournir une infrastructure qui permettra aux Acadiens de prospérer sans renoncer à leur identité culturelle et linguistique.

Identité culturelle acadienne

Les industries culturelles acadiennes ne sont pas encore suffisamment développées. Le marketing du peuple acadien ne peut se faire sans la promotion d'une industrie culturelle acadienne qui assure le maintien et l'épanouissement d'une culture énergique. Mais une telle industrie ne peut fleurir sans être nourrie à la base par un sentiment de fierté acadienne.

"On ne véhicule pas assez la fierté acadienne aux niveaux scolaire et universitaire (...) Si dans nos écoles, l'éducateur ne fait qu'enseigner une matière et ne se fait pas le promoteur de la culture, les minorités ne survivront pas longtemps." (Jean-Guy Rioux, vice recteur de l'Université de Moncton/Centre universitaire de Shippagan).

La nécessité de promouvoir une identité acadienne forte et stimulante ancrée dans le quotidien, rend impérative la remise en valeur du terme "acadien" et la revitalisation de concept d'acadianité en nos consciences.

Dans le document[3] soumis au premier ministre du Canada lors de la rencontre historique entre la Société nationale des Acadiens et Ottawa, notre "identité comme peuple" figurait au quatrième point après l'internationalisme, le tourisme et l'économie, alors que notre affirmation comme peuple aurait dû paraître en premier lieu.

La promotion de la langue et de la culture acadienne dans toutes les provinces de l'Atlantique doit être une priorité. C'est en faisant appel à l'effort, à la conviction et à l'engagement de chacun, en s'assurant le concours d'esprits bien formés dans l'éventail diversifié des compétences, que l'on fera du développement de l'Acadie l'affaire de toute la collectivité. Par exemple, en assurant à la population acadienne un service de radio et de télévision publique et communautaire qui projette des valeurs acadiennes stimulant la fierté et le dépassement de soi, on incitera l'Acadien à la créativité en éducation, en culture, en économie et dans sa vie spirituelle et religieuse.

Sur le plan politique, il faut permettre aux Acadiens de participer au pouvoir en gardant au grand jour leur identité culturelle.

"Une représentation qui protège les fondements mêmes de la société acadienne reflètera un peuple vivant, non imaginaire." (Jean-Maurice Simard).

Mandat de la SNA et acadianité

Le sondage[4] effectué auprès des participants, parallèlement aux activités du FORUM 86, et confirmant le mandat de la Société nationale des Acadiens, plaçait, par ordre de priorités, d'abord, la nécessité de promouvoir davantage l'identité acadienne. S'il faut intensifier la visibilité de la SNA dans les provinces de l'Atlantique afin que son rôle soit connu, compris et apprécié et qu'elle puisse retrouver une image plus précise d'elle-même, un travail de sensibilisation auprès de la population en voie d'assimilation sera nécessaire au reflet d'une Acadie convainquante, moderne, au visage réel, qui se reconnaît elle-même et que les autres reconnaissent pour ce qu'elle est.

La définition du mandat de la SNA est donc étroitement liée au concept d'acadianité. Lorsqu'on se sera identifié clairement, on pourra mandater des institutions pour nous représenter. Lorsqu'on aura identifié et reconnu nos susceptibilités régionales et entre provinces, lorsqu'on aura déterminé et apprécié notre "dénominateur commun", c'est-à-dire notre histoire, notre expression culturelle et notre aspiration d'être pour l'an 2000, nous pourrons spécifier les plans d'actions des deux autres grands axes du mandat de la SNA, soit

- la coordination des dossiers interprovinciaux tels que les relations avec le Conseil des premiers ministres de l'Atlantique, les communications (radio communautaire, etc.), le tourisme culturel, etc., et
- le développement des relations extérieures avec les pays francophones et le Québec.

3. Voir Annexe B 1.1, La rencontre SNA-OTTAWA p 83
4. Voir Synthèse des conclusions des délégués, p. 35

MANDAT DE LA SNA

Introduction: Nature de la SNA

Dans sa constitution, la SNA s'est donnée les buts suivants:

1. Représenter tous les Acadiens des provinces de l'Atlantique aux niveaux national et international dans les causes communes à ses membres;

2. Établir une certaine collaboration entre ses membres;

3. Étudier et chercher à résoudre tous les problèmes d'intérêts communs qui se posent à ses membres dans les domaines économique, politique, social et culturel;

4. Administrer le fonds de fiducie (...).

En vue de préciser le mandat de la SNA, le FORUM 1986 posait les questions suivantes:

- la SNA doit-elle s'identifier avant tout comme organisme de concertation, organisme de revendications politiques, organisme de services de collaboration entre tous les Acadiens dans des domaines spécifiques, propres et communs ou comme organisme porte-parole auprès de la francophonie nationale et mondiale, et des gouvernements (Conseil des premiers ministres des Maritimes - CPMM - et gouvernement fédéral)?

- la SNA doit-elle représenter les Acadiens dans tous les domaines où elle est actuellement engagée, c'est-à-dire:

- la coopération avec la France, la Belgique, le Jura, le Québec, la Louisiane, la Nouvelle-Angleterre et autres organismes nationaux, (sauf la FFHQ) et internationaux (Secrétariat permanent des peuples francophones, Communautés ethniques de langue française,...);

- la revendication d'intérêts pour ses membres auprès du CPMM et du gouvernement fédéral;

- le développement de projets communs d'animation politique ou sociale en diverses matières (Parcs Canada, Fêtes du Centenaire, etc.);

- la création de services à la population par des projets communs sur le plan du tourisme, de l'éducation, du développement économique, technologique ou autres...?

Comment différencier la place de la SNA dans ces domaines par rapport aux associations membres et à la FFHQ?

La SNA doit-elle privilégier ses activités internationales, ou donner plus d'importance à ses dossiers interprovinciaux et nationaux (lobby au fédéral et au CPMM, radios communautaires, tourisme, etc.)? Quelle place doit-elle accorder à des projets de représentation permanente au Québec, à Ottawa, à Paris, par exemple?

1. Orientation de la SNA

L'orientation précise de la SNA peut être difficile à percevoir lorsque celle-ci veut répondre aux besoins de tous les secteurs d'activités de la "vie acadienne". Certaines associations-membres ressentent le besoin de se concerter afin d'approfondir les dossiers interprovinciaux qui leur sont communs, alors que d'autres préfèrent concentrer sur les relations extérieures avec la France.

En mai 1986, l'assemblée générale annuelle se donnait comme priorité:

- le maintien et l'épanouissement des relations extérieures avec la France, la Belgique et le Québec;

- l'organisation du FORUM 86;

- la continuation des dossiers de radios communautaires, du développement d'un réseau touristique acadien et de l'école des sciences vétérinaires de Charlottetown.

Ainsi, tout en entretenant les liens avec l'extérieur, la SNA décidait de s'attarder aux dossiers interprovinciaux communs aux quatre (4) provinces de l'Atlantique, ce qui exige l'amélioration constante du travail de "lobby" auprès du Conseil des premiers ministres des Maritimes (CPMM) et du gouvernement fédéral.

Selon un délégué de la Nouvelle-Écosse, les dossiers communs justifent l'existence de la SNA, puisque celle-ci doit être le véhicule par excellence des intérêts des communautés francophones de l'Atlantique. Aucun gouvernement provincial ne saurait protéger les intérêts d'une communauté répandue sur tout le territoire de la région de l'Atlantique, ni parler pour tout le peuple acadien, comme la SNA peut le faire. Il faut promouvoir ce rôle crucial de la SNA.

2. Acadie et autodéveloppement

Le peuple acadien existe et continuera d'exister aussi longtemps que ses membres en "prendront le risque" et démontreront une conscience et un vouloir vivre collectif qui présideront à la vitalité du groupe dont le mode de vie global dépenda des objectifs d'auto-développement qu'il s'imposera. "Le droit à la non-assimilation ne peut être une réalité que si le droit au développement est articulé efficacement." (Pierre Arsenault).

Après avoir identifié non seulement les besoins économiques mais d'abord et surtout les besoins physiques, intellectuels, moraux, culturels, après avoir défini les valeurs à protéger et fixé les buts à poursuivre, il faut planifier l'utilisation des ressources et la transformation des structures qui posent des obstacles et enfin, respecter l'environnement dans lequel on vit. Une telle approche exige la coopération des gouvernements au développement global de la région de l'Atlantique.

Si le peuple acadien veut exister comme une entité distincte dans les provinces de l'Atlantique au 21e siècle, il doit inciter les gouvernements à contribuer à ralentir l'assimilation et la dépendance en accentuant le développement vers un partage réel de souveraineté à l'intérieur d'un cadre politique établi.

"Avec les changements de 1980 à la Loi scolaire, l'Acadie du Nouveau-Brunswick a acquis à l'intérieur du cadre politique existant, un certain pouvoir décisionnel au niveau de son développement éducationnel par la voie des conseils scolaires francophones. C'est un exemple d'auto-développement (qui pourrait) servir aussi bien les autres coins de l'Acadie de l'Atlantique que la communauté acadienne du Nouveau-Brunswick. En plus, des structures semblables doivent être créées (...) dans tous les domaines qui touchent le développement du peuple acadien: le domaine économique (pêches, agriculture, forêts, industries, etc.), le domaine culturel et des loisirs (théâtre, sports), le domaine communautaire (municipalités et centres de services régionnaux, etc.) et le domaine des communications sociales (radio, radio communautaire, télévision, journaux, etc.)." (Pierre Arsenault)

Afin de favoriser l'auto-devéloppement du peuple acadien, la Société nationale des Acadiens doit passer d'un organisme d'action directe à un organisme facilitateur et coordonnateur d'activités interprovinciales créatrices de développement.

Puisque le développement du peuple acadien s'effectue par des mouvements spécifiques dans divers domaines, il faudra regrouper les membres les plus dynamiques de chaque secteur d'activité de la société acadienne et favoriser le processus d'organisation et de planification du meilleur développement possible.

Une telle perspective exige d'élargir la représentativité acadienne au sein de la SNA en y ajoutant les représentants d'un certain nombre d'organismes provinciaux autres que ceux qui constituent l'actuel conseil d'administration.

Chaque communauté acadienne sensibilisée à l'importance de veiller à son propre développement a déjà l'appui de son organisme provincial qui lui procure l'information nécessaire à la connaissance des lois et de la dynamique le l'appareil gouvernemental tant aux niveaux municipal et provincial que fédéral, ainsi que des agents de développement qui contribuent à identifier les besoins et à coordonner les ressources du milieu.

Au niveau interprovincial, la SNA pourrait remplir son rôle d'organisme de services en coordonnant, par exemple, une banque de ressources humaines et en favorisant l'échange de bénévoles entre régions similaires telles que St-Jean, Nouveau-Brunswick et Halifax, Nouvelle-Écosse, qui travaillent sur des dossiers communs.

La SNA doit combler le vide qui existe actuellement au niveau des instruments de base permettant un développement communautaire efficace. Elle devrait inciter l'Institut de leadership de l'Université de Moncton à offrir des cours en développement communautaire axés sur la praxis et, tenant compte des besoins du milieu, idéalement décentraliser son action de recherche et d'apprentissage pour mieux servir directement une région. Dans ce même but, la SNA pourrait coordonner le développement de stratégies ainsi que la distribution des ressources dans les régions. Elle devrait favoriser les échanges entre des régions plus développées et d'autres moins nanties.

"Afin de permettre au peuple acadien de jouer pleinement son rôle, la SNA devra se doter de mécanismes permanents de concertation des membres, tels que les commissions permanentes, les commissions d'enquête et possiblement l'arbitrage obligatoire ou encore les tribunaux populaire." (Pierre Arsenault)

La SNA doit faire reconnaître le droit du peuple acadien au développement "par la voie de législations adéquates sur les langues officielles, par la voie d'une représentation proportionnelle assurée aux assemblées législatives des provinces de l'Atlantique et au Parlement canadien, par la voie de réformes dans le système judiciaire pour assurer un accès aux tribunaux en français partout en Acadie, par la voie de réformes en éducaton qui reconnaîtront un système d'écoles homogènes françaises partout en Acadie, par la voie de programmes de développement axés sur les besoins des communautés acadiennes, etc. La SNA pourrait se doter d'une commission permanente pour la défense des droits de ses membres (...) du droit à l'auto-développement et des autres droits collectifs du peuple acadien." (Pierre Arsenault)

3. Identité et ouverture

La culture américaine et la langue anglaise dont l'universalité présente tant d'attrait menace de niveler bien des diversités culturelles.

"L'Acadie ne peut être étrangère à la modernité." (Jean-Maurice Simard) Il est important de pouvoir communiquer avec nos voisins anglophones, ce qui ne signifie pas, comme trop de jeunes semblent le manifester, choisir entre le ghetto culturel et l'acculturation. Mais être Acadiens et Américains de l'Amérique sans acculturation "représente un défi de taille".

En cette lutte, par delà son identité propre, l'Acadie a beaucoup en commun avec le reste de la francophonie canadienne. Par son association de solidarité avec les autres francophones, elle doit exercer un "leadership" fort, sans être porte-parole, dans les débats portant sur les grandes questions nationales.

3. 1 Représentation au niveau national fédéral

3.1.1 SNA-FFHQ

Au niveau national "fédéral", la SNA ne doit pas confondre son rôle avec celui de la Fédération des francophones hors Québec (FFHQ) qui représente ces derniers par l'intermédiaire des associations provinciales membres. Si la SNA développe ses interventions internationales et ses dossiers interprovinciaux au moyen de commissions permanentes, elle demeurera ainsi complémentaire à la FFHQ qui se consacre aux questions exclusivement pan-canadiennes, tout en faisant place aux Acadiens, par exemple dans la reconnaissance de l'apport du peuple acadien à la francophonie mondiale et nationale, en assurant sa présence comme participant aux sommets de la francophonie.

L'État fédéral canadien fait preuve d'une ouverture d'esprit lorsqu'il permet à des organismes non gouvernementaux tels que la SNA de participer au Sommet de la francophonie (mondiale). Il reconnaît aussi la légitimité des démarches provinciales et, en ce qui concerne la SNA, il comprend le rôle des relations internationales pour la survie culturelle et linguistique des francophones.

3.1.2 Rencontre SNA-Ottawa

La première rencontre entre la SNA, représentant le peuple acadien des quatre (4) provinces de l'Atlantique, et le Premier ministre du Canada, Brian Mulroney (accompagné de trois (3) ministres: David Crombie, Secrétaire d'État, Bernard Valcourt, Ministre d'État aux Petites entreprises et au Tourisme, et Monique Landry, Ministre d'État aux Relations extérieures), fut une réunion de consultation au cours de laquelle les parties ont échangé au sujet des attentes et perspectives d'avenir du peuple acadien. Le but de cette rencontre historique était de faire part de l'urgence des dossiers de la francophonie des provinces de l'Atlantique et de dégager les grandes orientations de la SNA.

La SNA dépose donc un programme de travail[5] qui, tout en faisant connaître sa préoccupation majeure, soit l'épanouissement des communautés de langue officielle en milieu minoritaire, devrait raffermir les relations entre le peuple acadien et le gouvernement fédéral.

En somme, la SNA demande du gouvernement fédéral

1. que ce gouvernement arrête de couper dans les budgets de langues officielles;

2. que ce gouvernement reconnaisse la nécessité pour les Acadiens de se doter d'outils de communication tels que les radios communautaires;

3. que ce gouvernement intensifie son aide à la SNA pour mener à bien ses activités sur le plan international;

4. que les programmes de développement économique régional se fassent en concertation avec les organismes économiques acadiens;

5. que le gouvernement fédéral tienne compte des besoins spécifiques du peuple acadien de l'Atlantique lorsqu'il établira toute nouvelle politique fédérale.

3.2 Relations extérieures: le statut international

L'Acadie entretient déjà et depuis fort longtemps des échanges culturels, éducationnels et commerciaux avec plusieurs communautés francophones du monde, grâce à la SNA, à nos universités et à un certain nombre d'organismes et d'entreprises. Chaque année des centaines d'Acadiens et Acadiennes découvrent le Québec, la Belgique, le Jura et particulièrement la France. L'Association des amitiés acadiennes, qui fêtera son dixième (10e) anniversaire, accueille les Acadiens dans plusieurs régions de la France et veille à la promotion des intérêts de l'Acadie.

Le rayonnement de l'Acadie dans le monde s'est effectué par l'intermédiaire d'individus, surtout des artistes et écrivains qui ont su cultiver et refléter une certaine image de l'Acadie. En plus de ces échanges promus par la SNA, ceux qui ont lieu sous forme de jumelage entre municipalités et régions, les initiatives de nos universités, (surtout de l'Institut de leadership dans le domaine éducationnel), les projets commerciaux et privés (avec le Québec en particulier), démontrent l'importance du maintien de relations internationales multiples dans un encadrement réaliste et fonctionnel.

Notre ouverture sur le monde est une condition à notre survivance nationale et collective.

On ne peut cependant dissocier les questions économiques des questions linguistiques et socio-culturelles. Par exemple, dans le cas actuel de la pêche à la morue qui met aux prises les pêcheurs français et acadiens, notre intervention doit se faire de façon à respecter l'essence de nos relations avec la France, comme on l'a fait avec le Québec pour le projet de loi 48, de sorte que nous avancions nos intérêts économiques dans la balance de nos intérêts culturels communs.

Quant aux relations avec le Québec, la SNA ne se substitue pas aux associations provinciales qui doivent entretenir des liens directs avec les institutions et le gouvernement québécois. Elle ne sera porte-parole que pour des questions qui intéressent tous les Acadiens et sur lesquelles il y a consensus entre les associations membres.

Le projet de Maison de l'Acadie au Québec est porté à un moment ultérieur. Il semble prioritaire d'axer nos énergies sur les relations interprovinciales et de continuer à développer des liens de solidarité dans nos échanges internationaux.

Conclusion

La SNA ne pourra mettre le cap sur l'an 2000 sans étudier les priorités collectives et veiller à ce que son rôle complète celui des autres organismes formant l'assise institutionnelle de l'Acadie. Elle évitera ainsi le piège d'un trop grand nombre d'objectifs à atteindre en même temps, le chevauchement d'efforts et la tentation de l'idéalisme.

Si l'Acadie proprement dite n'a pas de vie politique, les Acadiens, eux, en ont une et rien ne peut se substituer à leur engagement politique pour l'avancement du peuple acadien. L'Acadie ne peut se réaliser que par la volonté et l'engagement des siens.

La SNA peut devenir un instrument valable dans le processus d'auto-développement du peuple acadien, si elle reflète adéquatement la réalité de celui-ci et favorise le dynamisme de ses membres en développant une solidarité réelle qui se concrétise dans les échanges et l'entraide entre les Acadiens de toute la région de l'Atlantique.

La SNA doit servir de forum pour que le peuple acadien puisse exprimer ouvertement ses besoins de structures administratives qui respectent le développement de ses communautés de même que ses besoins de "voix signifiantes" qui le représentent sur les scènes interprovinciale, nationale et internationale.

L'organisation de rassemblements fréquents, de conventions d'orientation nationale régulières ainsi que l'établissement d'une conférence des institutions acadiennes mettant en présence les chefs de file acadiens, les politiciens, les hommes d'affaires, les syndicalistes, les "leaders" communautaires et municipaux répondraient à la nécessité d'échanges en vue des forts consensus dont la SNA a besoin.

"L'image de la SNA reste floue pour la majorité des Acadiens et des Acadiennes. Sa pertinence dans notre panorama d'institutions doit être démontrée avec force et clarté à la génération montante, celle qui viendra bientôt grossir le flot des forces vives. La jeunesse d'aujourd'hui sait-elle même que la SNA existe? L'Acadie de la diaspora sait-elle même qu'elle dispose de cette tribune? (...) quand on connaît les lacunes de nos systèmes de communication en Acadie, on ne devrait pas en présumer. (...) À une image aux reflets un peu désuets, (la SNA) doit substituer une image sophistiquée, vive, neuve. Une image qui n'hésite pas à emprunter aux techniques les plus modernes de marketing pour être véritablement de la partie en l'an 2000."[6]

Quel lien existe-t-il entre l'avenir de l'Acadie et l'avenir de la SNA? La SNA comporte une structure de continuité historique qui, tout en s'adaptant à une société en constant mouvement, doit préserver au sein d'une modernité qui bouleverse nos vies et nos valeurs, l'image d'une Acadie qui se respecte, qui sillonne son passage en réclamant ses droits à l'intérieur des nouvelles exigences politiques.

Le rapprochement entre les municipalités acadiennes sensibilisera danvantage la population à l'importance du rôle d'un "gouvernement de base" et préparera peut-être le fondement d'une représentativité légitime qui donnerait le moyen de créer chez les Acadiens une conscience plus aigue d'un pouvoir politique plus près d'eux qu'ils ne le pensent, d'une autonomie à construire en l'an 2000.

5. Voir Annexe B 1.1 La rencontre SNA-OTTAWA, p. 83
6. Rino-Morin Rossignol, Le marketing d'un peuple, éditorial, dans Le Matin, Moncton, le 18 novembre 1986, p.6

STRUCTURE ET FONCTIONNEMENT

Introduction

Les structures n'étant que des outils ou moyens pour atteindre les objectifs précis qui s'inscrivent dans l'orientation de développement du peuple acadien, il est important que ceux-ci soient clairement définis en tenant compte des mandats des associations provinciales et nationales existantes, c'est-à-dire en clarifiant la relation de travail de la SNA avec ses associations provinciales membres ainsi qu'avec la Fédération des francophones hors Québec (FFHQ) afin d'éviter que les interventions de la SNA viennent se superposer à celles des organismes provinciaux et nationaux.

En ce sens, la SNA devrait-elle être

- une fédération des associations membres, mieux outillée pour mener à bon port des actions définies par la revendication, la documention et la recherche, et la prise en charge de services ou dossiers;

- une association dont le but principal serait la promotion du peuple acadien, et dont le rôle culturel et social s'étendrait au niveau régional, national et international.

- un mouvement avec un mandat spécifique de revendication relatif à la reconnaissance et à la défense du statut et des droits du peuple acadien?

Quelle importance doit-on donner au concept de "peuple acadien" dans l'élaboration d'une structure pour la SNA? Quelle structure devrait-on privilégier?

1. Structure: la situation actuelle
1.1 Structures permanentes..

La fédération qui constitue la SNA comprend actuellement quatre (4) membres: la Société des Acadiens du Nouveau-Brunswick (SANB), la Fédération des Acadiens de la Nouvelle-Écosse (FANE), la Société Saint-Thomas d'Aquin (SSTA) et la Fédéraion des francophones de Terre-Neuve et du Labrador (FFTNL). Son Assemblée annuelle regroupe sept (7) représentants de chacune des associations-membres, à savoir vingt-huit (28) personnes.

Le Conseil d'administration, qui se réunit deux ou trois fois par année, regroupe trois (3) représentants par association-membre, à savoir douze (12) personnes.

Finalement, le Bureau de direction se réunit quatre ou cinq fois par année (principalement par conférence téléphonique) et comprend un représentant par association-membre, à savoir quatre (4) personnes.

Il y a aussi le secrétariat comprenant deux (2) permanents, le secrétaire général et la secrétaire administrative.

1.2 Structures "ad hoc"

Les comités ou commissions créés par la SNA pour gérer une activité en particulier, ne sont pas toujours fonctionnels étant donné leur nombre multiple dont la responsabilité et la gérance relève du secrétaire général. Chacun de ces comités répond de ses activités auprès du Conseil d'administration.

1.2.1 Commission des relations extérieures

Cette commission dont le but est de conseiller la SNA dans le traitement de ses relations extérieures, comprend une quinzaine de personnes représentant principalement les associations provinciales, les universités, le milieu économique et les jeunes (avec qui aucune rencontre n'a encore eu lieu). Un représentant du gouvernement du Nouveau-Brunswick assiste aux réunions à titre d'observateur.

Deux réunions ont eu lieu l'an dernier et aucune, cette année. Rarement plus de cinq (5) ou six (6) personnes assistent à chacune des réunions.

1.2.2 Comité consultatif acadien auprès de Parcs Canada

Ce comité fut mis sur pied par Parcs Canada en février 1985, suite à des pressions de la SNA. Il comprend six représentants acadiens (deux par province maritime) en plus du président de la SNA et de deux (2) représentants de Parcs Canada qui se réunissent deux (2) ou trois (3) fois par année. En 1987, une évaluation sera faite qui décidera de l'avenir de ce comité.

1.2.3 Comité acadien sur le tourisme en Atlantique

Ce comité a été créé le 12 août 1986 et comprend un représentant par association-membre en plus du secrétaire général. Il a pour mandat de développer d'ici deux (2) ans une stratégie acadienne de développement touristique en Atlantique et d'implanter un mécanisme de coordination, de planification et de promotion touristiques. Le 17 octobre 1986, une demande de près de 500 000 $ a été faite auprès des gouvernements fédéral et provinciaux.

1.2.4 Comité des directeurs généraux

Depuis près d'un an, les directeurs généraux essaient de se réunir de temps à autre afin d'assurer un suivi aux propositions du Conseil d'administration telles que la préparation de la rencontre entre la SNA et Ottawa. Ce comité n'est soumis à aucune structure ni à un fonctionnement régulier, mais un encadrement fonctionnel s'avère de plus en plus essentiel. Toutefois, une telle organisation exigerait de chacun des directeurs généraux une surcharge difficile à gérer.

1.2.4 Comité des stages et bourses

Différents comités spécialisés sont formés et se réunissent ponctuellement de cinq (5) à dix (10) fois par année afin d'effectuer la sélection des boursiers pour la France, la Belgique et le Québec.

2. Fonctionnement

Le fonctionnement de la SNA devrait-il être caractérisé par
- l'organisation de conventions nationales, de conférences, de colloques;
- la création et la coordination de groupes de travail;
- la création de comités consultatifs sur les bourses, les stages, Parcs Canada, le tourisme, etc.;
- la mise en place de commissions permanentes pour formuler des mémoires ou projets?

Les faiblesses du fonctionnement actuel ne sont-elles pas dues principalement au peu de ressources humaines dont dispose la SNA? Les tâches qui découlent du mandat de la SNA semblent trop lourdes pour les deux seuls permanents affectés au bureau de gestion. Dans l'état actuel des dossiers de la SNA, celle-ci aurait besoin de cinq (5) employés, c'est-à-dire trois (3) adjoint-e-s: aux affaires interprovinciales, aux affaires extérieures, et à la recherche et à l'information; en plus du secrétaire général et de la secrétaire administrative.

Un permanent oeuvrant au niveau de chacune des provinces pour le développement des dossiers communs de l'Acadie de l'Atlantique s'avère important au fonctionnement efficace de la SNA. Doit-on faire appel au bénévolat ou recourir à un meilleur partage des ressources humaines actuelles des autres organismes acadiens? Des éléments de réponse à ces question se trouveront dans la section du présent texte qui traite du financement.

Le FORUM 86 a toutefois précisé deux champs d'intervention sur lesquels la SNA devrait concentrer ses efforts:

"(...) 1. puisque la SNA joue déjà un rôle important au niveau international, elle devrait continuer à développer ses relations avec les pays et communautés francophones à l'extérieur du Canada, et 2. la SNA devrait intensifier ses actions au niveau des dossiers interprovinciaux afin d'amener, d'une part, les gouvernements de l'Atlantique à offrir des services aux Acadiens et, d'autre part, afin de contribuer au développement d'institutions culturelles, sociales et économiques acadiennes." (Aurèle Thériault)

2.1 Relations internationales [7]

Sur le plan international, les relations avec la France se sont améliorées depuis que la SNA a pris au sérieux son rôle d'ambassadeur du peuple acadien. Elle devient instrument de développement économique dans l'ouverture de l'Acadie à de nouvelles relations avec le monde du commerce et de l'industrie français.

De même, la SNA pourrait développer son dossier interprovincial du tourisme culturel aux niveaux national et international invitant Québécois, Louisianais, Français et francophones du monde à visiter l'Acadie, exploitant ainsi le haut potentiel touristique des villes et villages des provinces de l'Atlantique.

2.2 SNA et FFHQ

Sur le plan national canadien, la SNA s'assure que la FFHQ reconnaisse la spécificité du peuple acadien dans le "melting pot" canadien où la confusion avec les groupes minoritaires des autres provinces est toujours possible avec, entre autres, la rationalisation des octrois du Secrétariat d'État. Elle assure que les Acadiens soient présents au sein des nombreuses commissions créées par le gouvernement fédéral dans des domaines qui l'intéresse.

Les grandes questions nationales telles que la Charte des droits et libertés et la Loi sur les langues officielles, demeurent du ressort de la FFHQ, alors que la SNA traite de dossiers spécifiquement acadiens aux niveaux inter-régional, interprovincial et international. La FFHQ est d'ailleurs choisie par les associations provinciales composant la SNA pour assumer la responsabilité de "lobbying" politique au niveau national.[8]

La priorité est donc donnée à la solidarité interprovinciale sur des dossiers communs. La SNA doit demeurer un lieu de rencontre, de consultation, de dialogue et de concertation, où s'élaborent des plans d'avenir, un plan global de développement dont la réalisation relèverait des différentes composantes de la société acadienne, par exemple, des universités et collèges communautaires pour les questions d'éducation, des principales entreprises pour les projets économiques, des organismes culturels pour les manifestations artistiques et culturelles. Le rôle de coordination que doit remplir la SNA est primordial.

---

7. Voir Annexe B 2.2 SNA et relations extérieures, p. 95
8. Voir Annexe B 1.2, Les relations SNA-FFHQ, p. 94

3. Représentativité

La question de la représentativité est de première importance dans l'évaluation de la structure et du fonctionnement de la SNA.

Une société vraiment "nationale" devrait regrouper les Acadiens des autres provinces canadiennes et même ceux de la Louisiane, dans un rôle de suppléance; cependant, une vue réaliste des exigences que cette option entraînerait au niveau du fonctionnement porte à concentrer l'action de représentativité sur les problèmes communs aux Acadiens du territoire de l'Atlantique.

Une représentation "proportionnelle" comporte le risque que les sujets discutés et les recommandations servent davantage les Acadiens du Nouveau-Brunswick dont les infrastructures et institutions sont plus développées.

La formule d'une représentation équitable doit tenir compte des "effectifs" de chaque province en réunissant des représentants des organismes provinciaux afin de mettre en commun les problèmes, expériences et succès de chacun et ainsi, exercer une action d'entraide valable.

Toutefois, les associations telles que la SNA "souffriront toujours d'une lacune susceptible de leur être reprochée à chaque fois qu'elles s'aventureront un peu trop loin sur le plan politique: celle de leur représentativité." (Melvin Gallant) La seule représentativité qui comporte un pouvoir véritable est issue de l'élection. Transformer la Société nationale des Acadiens en un organisme élu par le peuple conférerait à celle-ci "une autorité morale et un pouvoir politique indéniable(...)" "La forme et le fonctionnement (...) ressembleraient (...) à ceux d'un mini-parlement, parce qu'il aurait un pouvoir décisionnel réel". (Melvin Gallant) Si cette option ne retint pas l'attention des délégués du FORUM 86, c'est que ceux-ci ont plutôt voulu "restaurer" la structure de l'organisme en préservant sa base actuelle que "bâtir à neuf".

Au lieu d'être "incitatrice", la SNA aurait plutôt un rôle d'animatrice, de stimulatrice et de coordonnatrice assurant le suivi aux rencontres de consultation-concertation. Elle devrait donc encourager les organismes et institutions à travailler de concert à des plans d'action précis répondant aux besoins des Acadiens de l'Atlantique et fera son "lobbying" et ses revendications politiques au moyen d'interventions sectorielles. Par exemple, le dossier du tourisme culturel offre la possibilité de réunir divers niveaux d'intervention depuis le développement économique jusqu'à la promotion culturelle aussi bien à l'intérieur qu'à l'extérieur de l'Acadie. Le projet "Pour un tourisme culturel en Atlantique" pourrait prendre de l'expansion si la SNA unissait et coordonnait les efforts déjà accomplis par les diverses associations provinciales dans leur promotion respective. Les dossiers seraient ainsi développés globalement, plus efficacement et auraient une portée beaucoup plus vaste.

Les commissions sectorielles sont un moyen efficace de s'attaquer aux problèmes de la dépendance économiqe et de l'assimilation, de renforcir les liens entre la SNA et les communautés acadiennes, de pallier l'isolement des milieux francophones de l'Atlantique et d'assurer une coordination efficace vers le développement de la collectivité acadienne. En créant des commissions permanentes particulièrement en économie, en éducation et en développement culturel, la SNA mettrait en mouvement "(...) trois éléments qui sont étroitement liés au développement d'un peuple, car sans une étroite collaboration de ces facteurs, on n'arrivera jamais à créer une véritable nation." (Martin Légère)

Conclusion

Tout en accordant une importance privilégiée aux dossiers internationaux, les commissions sectorielles permanentes feront de la SNA un organisme efficacement représentatif des intérêts et aspirations de l'Acadie interprovinciale. Regrouper tous les intervenants des provinces de l'Atlantique d'un même secteur d'activités assure l'uniformité du discours et les consensus d'actions représentatives de tous. De plus, dans les dossiers communs, le gouvernement écoutera plus attentivement une voix représentant 300 000 Acadiens de l'Atlantique.

Il faut donc élargir la représentativité au sein de la SNA au moyen de commissions sectorielles permanentes et limiter les dossiers aux domaines des relations internationales, des communications, du tourisme, du développement économique et culturel sans oublier la fierté acadienne et la solidarité interprovinciale qui doivent imprégner tout engagement. Le domaine des communications est d'une importance capitale puisqu'il englobe non seulement les projets spécifiques d'appui aux radios communautaires naissantes ou encore la protection de nos acquis à Radio-Canada et la recherche d'une programmation plus apte à favoriser le développement de la culture acadienne, mais encore et surtout, l'information qui fera connaître à la population en général les questions et dossiers qu'entend défendre et promouvoir la SNA.

Le Conseil économique du Nouveau-Brusnwick par la voix de son président a manifesté un vif intérêt à devenir membre actif de la SNA.

Le recteur de l'Université de Moncton a invité la SNA à inclure le milieu universitaire dans sa structure. "L'université est l'institution qui forme et prépare la relève. La présence de l'université au sein de la SNA inciterait "l'implication" des jeunes chefs. Elle serait également un important outil de recherche pour la SNA." (Louis-Philippe Blanchard)

La SNA présentera lors de sa prochaine réunion annuelle, un projet de réforme de ses cadres, de sa structure et de son fonctionnement selon les orientations suggérées.

FINANCEMENT

Introduction

On ne peut préparer les délégations officielles de la SNA, établir une communication plus intense et fructueuse avec le Québec, améliorer l'action interprovinciale et les relations internationales, développer le réseau touristique culturel et stimuler les programmes d'échanges avec les pays francophones, faciliter l'accès aux bourses et stages, acheminer les jeunes vers la France, accueillir les Louisianais, Belges, etc., sans des ressources humaines et financières substantielles. Impossible d'atteindre les objectifs fixés sans un appui financier solide.

Les délégués du FORUM 86 n'en sont parvenus à aucun consensus sur une formule de financement. La SNA doit donc identifier de nouvelles sources vu les restrictions budgétaires du gouvernement fédéral qui, jusqu'à maintenant, lui accordait environ 75% de son budget de fonctionnement, soit l'équivalent des salaires et dépenses de deux (2) employés permanents. La SNA demeure "esclave" des subventions du Secrétariat d'État à moins que l'on trouve une formule qui lui donne un peu d'indépendance financière.

1. Situation actuelle et problématique

La SNA dispose pour l'année 1986-87 d'un budget d'opération de 103 637 $ dont 76 441 $ provient du Secrétariat d'État, 6 900 $ des cotisations des associations membres, 6 500 $ des intérêts du fonds de fiducie et 6 796 $ du surplus accumulé. Par ailleurs, elle reçoit 40 000 $ du ministère des Affaires extérieures pour financer les activités extérieures.

Le budget d'opération interne est nettement insuffisant. De plus, le climat d'insécurité annuelle que vit l'organisme subventionné "hypothèque" le travail des employés permanents.

Depuis deux (2) ans, la SNA demande au ministère des Affaires extérieures d'absorber le salaire et les dépenses d'un adjoint aux affaires extérieures, c'est-à-dire d'augmenter sa contribution de 50 000 $.

Selon les décisions prises quant au mandat et au fonctionnement de la SNA, il faudra de toute façon fournir à la SNA les moyens financiers qui lui permettent de travailler efficacement et à la mesure d'une véritable société nationale. Dans cette perspective, une majoration du budget est prévisible.

Les questions posées afin d'orienter le débat sur le financement ont trait à

- la possibilité du retrait éventuel des subventions fédérales;
- l'intérêt réel des Acadiens à financer leur organisation nationale;
- la possibilité de hausser les cotisations des associations;
- la pertinence d'une quête de subvention substantielle auprès des institutions financières acadiennes telles que l'Assomption et la Fédération des Caisses populaires acadiennes.

2. Sources gouvernementales

Malgré que les programmes de la SNA rencontrent les intentions et critères du Secrétariat d'État ou de différents ministères, les gouvernements fédéral et provinciaux, devant l'accumulation de déficits importants, sabrent dans leurs subventions. "Les organisations nationales devront chercher d'autres possibilités de financement si elles veulent survivre." (Richard Savoie)

2.1 Sources fédérales

Un montant de quatre (4) millions de dollars est attribué annuellement aux organismes acadiens par le gouvernement fédéral. La contribution est importante et l'on doit "s'assurer que sa répartition soit faite en fonction des priorités dans les besoins et des principes d'équité et de justice." (Gilbert Doucet) Il est urgent que les organismes acadiens examinent cette dimension. "Autrement, les subventions gouvernementales, qui ne semblent pas être à la hausse, risquent de financer tout le monde et de ne financer personne". (Idem)

Au cours des quatre derniers exercices financiers, la SNA a puisé à la source fédérale de 80 à 90% de ses recettes. "(...) la SNA (tout comme ses associations membres) devra continuer de compter sur le gouvernement fédéral pour la majeure partie des fonds qui seront requis pour assurer son bon fonctionnement et financer les activités nécessaires à l'exercice de ses responsabilités." (Edgar Gallant)

Cependant, la volonté du Parlement et du gouvernement du Canada d'instaurer la dualité linguistique ne garantit pas le financement d'activités qui visent à promouvoir l'épanouissement des minorités francophones canadiennes.

Les stratégies d'intervention de la SNA dans le domaine de son financement devront tenir compte des réalités suivantes si clairement exposées par M. Edgar Gallant:

1. Jusqu'à l'an 2000, les restrictions budgétaires seront de plus en plus exigeantes et pénibles. "(...) les résultats (...) modestes des efforts considérables déployés depuis quelques anneés en vue de couper les

dépenses et réduire le déficit (...en ralentir la croissance) laissent entrevoir des mesures encore plus drastiques pour plusieurs années à venir."

2. "La compétition donnant accès aux fonds disponibles sera intense (..) la rivalité entre les programmes existants sera de plus en plus forte (...) la situation sera rendue difficile par l'importance des demandes pour répondre aux exigences des nouvelles priorités (telles que les autochtones, les minorités invisibles et les réfugiés(...)), pour faire face aux imprévus (telles que les dépenses relatives à la chute des prix internationaux du pétrole et des céréales, à la sécheresse et à la hausse des taux d'intérêts) et (...) pour continuer d'assouvir la faim causée par les démons de la politique partisane."

3. L'aide du gouvernement fédéral, dans le cadre de la Loi des langues officielles et des politiques et programmes qui en découlent sera continuée mais son niveau n'est pas garanti. L'aide aux minorités francophones pourrait avoir un rival: la majorité anglophone réclamant des programmes d'immersion en langue française.

L'aide accordée aux minorités pourrait être dirigée vers le financement d'activités concrètes "dont l'impact est mesurable" au lieu du fonctionnement des organismes eux-mêmes.

4. Les politiciens (ministres, sénateurs et députés) auront de plus en plus d'influence et de contrôle sur la participation à la course aux deniers publics. Il faudra donc les sensibiliser pour qu'ils soient en mesure d'expliquer et d'appuyer les demandes formulées.

Il sera sage de "comprendre les considérations qui déterminent le point de vue de l'autorité fédérale". Les objectifs des programmes devront être liés aux buts poursuivis par les politiques gouvernementales.

En coordonnant bien ses activités et programmes avec ceux des associations-membres et ceux de la FFHQ, la SNA gagnera puisqu'elle augmentera ainsi le poids des interventions de l'ensemble des minorités francophones canadiennes. En assurant une concertation, elle évitera les "chevauchements " et elle réduira les contradictions possibles avec d'autres intervenants de la francophonie canadienne. Alors, elle pourra "continuer de compter sur des appuis financiers très importants de la part du gouvernement canadien." (Edgar Gallant)

"Les gouvernements ont un rôle certain à jouer à ce niveau et nous ne devrions jamais leur permettre de l'oublier." (Gilbert Doucet)

3. Sources paragouvernementales

Avant que les institutions financières ou coopératives acadiennes s'engagent à financer une fédération d'organismes acadiens, celle-ci devra d'abord obtenir une contribution de ses associations membres. De plus, ses mandats devront être compatibles avec les objectifs des institutions financières auxquelles elle demande une subvention.

D'autre part, certains préconisent l'augmentation des cotisations des associations membres de la SNA ou encore, le retour à une cotisation privée ou publique. L'expérience des dernières campagnes de levées de fonds de la SONA (Souscription aux organisations nationales acadiennes) -instaurée à l'époque où les subventions n'existaient pas- nous forcent à conclure que les Acadiens ne sont pas disposés à souscrire au financement de leurs organisations nationales, surtout maintenant qu'ils sont habitués à voir ces dernières vivre de subventions gouvernementales.

3.1 La Fédération des Caisses populaires acadiennes

Dans les années cinquante et soixante, la Fédération des Caisses populaires acadiennes et les organisations centrales du Mouvement coopératif acadien ont contribué généreusement aux campagnes SONA et au financement de la SNA.

Après les frictions sérieuses entre les associations et les institutions acadiennes, alors qu'on accusait celles-ci d'exercer une trop grande influence, voire même un contrôle par leur participation financière ou leur bénévolat au sein des organismes acadiens, la Fédération des Caisses populaires acadienne réorienta ses engagements financiers.

Au cours des dernières années, la Fédération et le Mouvement coopératif acadien sont devenus les principaux commanditaires des Jeux de l'Acadie, ont contribué à l'établissement de la Chaire d'études coopératives à l'Université de Moncton au coût d'un demi-million de dollars, ont créé le Fonds de bourses du Mouvement coopératif acadien et accordent un appui financier à des concours pour les jeunes, entre autres, le Concours national des jeunes, et à d'autres organismes provinciaux.

3.2 L'Assomption-Vie

Les institutions d'assurance-vie s'acquittent de leur rôle social en contribuant généreusement à des projets d'ordre communautaire.

En 1982, selon le dernier relevé, les compagnies d'assurance-vie du Canada ont consenti une somme de trois (3) millions de dollars à des projets de portée sociale, soit 24% de plus qu'en 1981. Les programmes choisis relèvent le plus souvent du domaine artistique, culturel et éducationnel (bourses), du domaine de la santé, des activités-jeunesse et des projets d'amélioration des conditions de vie.

L'Assomption-Vie a déjà attribué des sommes considérables à des projets d'ordre communautaire. Sa priorité majeure est toutefois l'éducation, dont ses programmes d'aide aux étudiants et, entre autres, un don de 500 000 $ à l'Université de Moncton dans le cadre de sa campagne de financement. La compagnie a consenti trois (3) millions de dollars à ce chapitre. De plus, un projet en voie de réalisation devrait mener "vers les débuts des années 90, à une fondation qui aura à sa disposition une somme de un million de dollars et dont les revenus serviront principalement à octroyer des bourses d'études". (Gilbert Doucet) La compagnie donne son encouragement à plusieurs autres programmes mais les sommes sont moins considérables que celles accordées à l'éducation.

Conclusion

"Sans un sociétariat vivant, un organisme n'a que de frêles chances de subsister." (Gilbert Doucet) Même si les ressources de la SNA sont limitées, celles-ci devraient être suffisantes pour répondre aux priorités essentielles. La SNA devrait réorganiser son sociétariat actuel après avoir défini son orientation stratégique, et promouvoir l'appartenance des associations-membres pour soutenir les programmes que ces associations veulent mettre de l'avant avec l'aide de la "fédération" ou SNA.

La mise en place d'un mécanisme qui permettrait de veiller à ce que la répartition des fonds fédéraux soit faite en fonction des vrais besoins s'avère primordiale, à un moment où la course "compétitive" aux subventions restreintes devient plus "farouche".

Finalement, il serait peut-être avantageux d'explorer l'organisation d'activités payantes telles que galas artistiques acadiens, en regroupant ceux qui pourraient parrainer ce genre d'évènement afin que les produits et résultats puissent rencontrer plusieurs objectifs.

CONCLUSION

Pour une orientation et un plan d'action qui englobent les buts communs des quatre (4) associations provinciales et des commissions permanentes constituant la SNA, afin que les actions entreprises soient le reflet d'une véritable force convergente, il est impérieux que ceux qui assurent le "leadership" à l'intérieur des organismes acadiens, ceux qui exercent un rôle d'influence dans un secteur d'activité quelconque (maires de municipalités, directeurs d'associations, administrateurs de coopératives, etc.), soient mis en présence les uns des autres et bâtissent un sentiment de solidarité au moyen de la concertation axée sur la réalisation de certaines actions collectives.

Un tel processus ouvrirait sûrement à un dialogue qui approfondirait la compréhension des réalités forts différentes que vivent les communautés acadiennes de l'Atlantique et qui sait, mènerait peut-être au rapprochement des régions jusqu'au "jumelage" en vue de collaborations et d'échanges.

"Quoi qu'il en soit, si la SNA veut améliorer son fonctionnement, augmenter son pouvoir politique, appuyer ses relations internationales sur des bases plus solides et obtenir une meilleure participation fédérale à son budget d'opération, il va falloir que certaines choses changent. Sa transformation en mini-gouvernement élu au suffrage universel lui conférerait très certainement une crédibilité et une autorité incontestables. Reste à voir si la volonté nationaliste de l'Acadie est suffisamment grande pour réaliser un projet de cette envergure." (Melvin Gallant)

En attendant (!), la Charte canadienne des droits permet des structures d'égalité dont peuvent bénéficier les Acadiens à l'intérieur du système provincial. Le principe de dualité ouvre à toute l'Acadie la possibilité de s'exprimer et de se développer globalement.

Le FORUM 86 aura été un succès puisque les attentes des organisateurs auront été comblées. Une délégation de jeunes observateurs aurait pu toutefois être prévue. Les délégués et participants au FORUM 86 ont semblé oublier de discuter de l'importance des jeunes d'aujourd'hui pour une Acadie en l'an 2000 et de la place des jeunes dans une Acadie de l'an 2000.

Synthèse des conclusions des délégués

Forum 1986, qui réunissait à Memramcook, les 14, 15 et 16 novembre 1986, quelque deux cents (200) délégués des quatre (4) composantes de la Société nationale des Acadiens (SNA), consistait en une "consultation élargie auprès des Acadiens de l'Atlantique sur l'avenir de l'Acadie et de la SNA (...)".

Les lignes directrices issues des échanges en ateliers sur le mandat de la SNA, sa structure et son fonctionnement ainsi que son financement, permettent d'établir sans difficulté des consensus sur l'orientation que devrait prendre la SNA dans les années à venir. De plus, les résultats d'un sondage effectué auprès des participants et dont la compilation des données se trouve en annexe au présent texte, sont parfaitement en accord avec les synthèses des discussions tenues dans les ateliers.

Le mandat

Les allocutions des panélistes avaient permis de dégager quelques lignes directrices pour orienter les discussions. Le Sénateur Simard insistait sur le vécu des Acadiens, le besoin de tenir compte de l'engagement qui se traduit par les gestes quotidiens et de reconnaître que l'Acadie n'est pas la propriété des seuls nationalistes. Un deuxième conférencier soulignait le besoin pour l'Acadie de se donner un visage propre, pour qu'elle se reconnaisse et qu'on la reconnaisse à l'extérieur de ses frontières. On a ensuite mis l'accent sur la priorité à la solidarité interprovinciale, qui devrait trouver place dans des manifestations concrètes. Un dernier panéliste voyait la SNA contribuer à développer les principes sur lesquels reposerait un véritable plan de développement pour l'an 2000, principes axés sur la dualité et le droit au développement.

En atelier, l'on a d'abord appuyé l'appproche réaliste qui tiendra compte de l'ensemble des intervenants sur la scène nationale et des moyens disponibles pour passer à l'action. L'on a insisté sur l'importance

d'éviter les dédoublements d'efforts et de favoriser l'efficacité et l'excellence. Cela s'est traduit par deux priorités nettement définies:
1) la poursuite des efforts déployés en vue de faire connaître l'Acadie à l'étranger et de créer des projets de coopération dans ce domaine;
2) le développement de projets mieux définis et plus ambitieux en matière d'échanges interprovinciaux.

Voulant éviter le croisement des mandats de la Société nationale des Acadiens (SNA), de la Fédération des francophones hors Québec (FFHQ) et des associations provinciales, les délégués ont opté pour une vocation de concertation à la SNA; ce qui signifie que la SNA doit faciliter les rencontres, mettre en contact leaders et groupes, pour agir à travers ceux-ci en priorité. La SNA ne serait vue porte-parole autorisé que pour les questions intéressant l'ensemble des Acadiens de l'Atlantique, d'abord en Atlantique, notamment pour éveiller le sentiment de fierté, puis au Québec et à l'étranger, ainsi que sur le plan national, pour veiller à la reconnaissance des intérêts spécifiques des Acadiens. En général, la SNA n'est cependant pas vue comme un organisme de revendication. On la voit plutôt créer une dynamique nouvelle entre les leaders sectoriels et donner une image neuve à l'Acadie en revalorisant sa langue et sa culture.

En fin de journée, un autre élément du mandat propre de la SNA s'est dégagé: celui de promouvoir la reconnaissance du rôle historique des Acadiens par des manifestations diverses, ce rôle n'étant pas occupé par un autre organisme et étant relié à celui de reconnaissance de la spécificité du peuple acadien en Atlantique et à l'étranger.

Le sondage révèle d'abord un appui très significatif au développement du mandat de concertation interprovinciale, aussi bien auprès des associations-membres que d'un éventail plus vaste d'intervenants sectoriels. Le rôle de valorisation du concept de peuple acadien est aussi endossé très fortement, comme celui de représentation internationale. Quant à celui de porte-parole pour les questions acadiennes, il est entériné là où les associations provinciales ne sont pas déjà actives, du moins s'il doit être exclusif.

Il ressort aussi clairement que la vocation au regroupement des Acadiens de partout n'est pas prioritaire. Ceci se reflète notamment dans la volonté de maintenir le caractère fédératif de la SNA.

Les structures

Les panélistes ont remis en cause le mandat de la SNA en se référant à son caractère fédératif: l'on ne peut agir efficacement qu'en évitant le dédoublement et l'imprécision, et en visant des résultats concrets, reliés à des objectifs atteignables. L'on a donné son accord à la formule fédérative élargie. Un panéliste a suggéré une vocation d'organisme de source dans le domaine particulier du développement communautaire. Un autre a cependant choisi de suggérer un appel au suffrage universel pour garantir la légitimité de la SNA dans ses revendications, ce qui aurait bien entendu pour effet d'en transformer les instances décisionnelles.

En atelier, l'appel au suffrage universel a été écarté et la formule fédérative largement endossée. Plusieurs ont souhaité l'élargissement des cadres en proposant la création d'une nouvelle catégorie de membres sans droit de vote, vue plus simplement par la formation de commissions permanentes où siègeraient divers intervenants sectoriels. L'on s'est questionné sur la représentation proportionnelle ou égale des associations-membres, sans vraiment conclure. La vocation de concertation interprovinciale étant affirmée, l'on s'est plutôt attaché aux mécanismes internes en vue de la concertaion. La quasi-unanimité s'est faite sur le bien-fondé du système des commissions sectorielles permanentes qui affirment un rôle de facilitateur pour la SNA. Le suivi serait l'affaire des participants. La SNA pourrait donc agir avec un personnel et un budget réduit. Bon nombre de délégués ont aussi vu la nécessité de rencontres générales des leaders acadiens de l'Atlantique en proposant la tenue de conventions ou de biennales.

Eu égard à la participation de la SNA à la FFHQ, une majorité de délégués y a vu un dédoublement du rôle des associations-membres. L'on a opté pour le retrait de la SNA de ce forum où la présence acadienne devrait s'affirmer avec conviction à travers les quatre associations-membres.

La question de représentativité n'a pas semblé inquiéter les délégués. L'on considère que la SNA est aussi représentative que ses associations-membres dont la représentativité n'est pas remise en question. L'on pense aussi que la formule des commissions sectorielles renforcera les liens entre la SNA et les communautés.

Le financement

Les trois panélistes n'ont pas présenté un message encourageant concernant la possibilité de trouver des ressources financières additionnelles pour la SNA. Le premier a souligné l'importance de la contribution fédérale actuelle et suggéré que le seul accroissement possible pour la SNA serait celui qui viendrait d'une redistribution. Il ne pensait pas que le financement local soit possible, si ce n'est de façon limitée par l'adoption d'un niveau de cotisation plus élevé. Les grandes entreprises collectives acadiennes ont déjà des engagements sociaux importants, a dit le deuxième panéliste. Il a incité à un examen des double-emplois et à une rationalisation des dépenses actuelles de l'ensemble des groupes acadiens. Monsieur Edgar Gallant a souligné la tendance des gouvernements à privilégier les projets plutôt que les subventions de soutien. Il a dit croire à des possibilités nouvelles pour appuyer un mandat plus clair et des projets plus précis.

En atelier, il a été difficile de déceler un consensus véritable bien qu'on ait été plus optimiste que les panélistes. Les principales suggestions ont porté sur l'accroissement des cotisations et l'organisation d'une campagne de levée de fonds organisée par des professionnels. Un intervenant a suggéré de chercher à obtenir des legs testamentaux en faveur de la SNA. D'autres ont proposé un plan de financement quinquennal ou encore, l'organisation d'une campagne modelée sur celle d'Alliance Québec auprès des grandes entreprises québécoises et canadiennes en vue de constituer une fiducie.

Certains ont opté pour la revendication du "divertissement" des fonds fédéraux appliqués aux primes du bilinguisme et à la formation linguistique, vers les groupes tels que la SNA.

Enfin, un atelier a proposé de créer une commission permanente sur le financement des associations nationales, un autre d'étudier à fond l'option des galas artistiques, un dernier de chercher 1500 donateurs de 100$ annuellement.

Conclusion

Dans l'ensemble, donc, les délégués favorisent pour la SNA un mandat mieux circonscrit, généralement limité à la concertation interprovinciale, puis à la représentation internationale. Ils considèrent qu'elle doit être un facilitateur plutôt qu'un organisme de service, qu'elle doit conserver sa structure, mais se doter de commissions permanentes sectorielles très visibles. Ils lui voient aussi une vocation dans l'organisation de grands rassemblements et la promotion de l'identité acadienne. Selon eux, la SNA ne doit être que complémentaire aux autres institutions et se trouver un créneau propre où elle agira surtout comme facilitateur en vue de développer la solidarité des leaders et des institutions existantes. Finalement, l'on considère ses besoins en personnel comme étant limités.

COMPILATION DES DONNÉES DU SONDAGE

D'accord (3)   Pas d'accord (1)
Moyennement d'accord (2)   Pas répondu (0)

	1	2	3	0
1. Rôle de valorisation du concept de peuple en Atlantique (promotion de la langue et de la culture)	2	11	110	3
2. Rôle de porte-parole sur la scène internationale pour les dossiers communs aux Acadiens de l'Atlantique.	6	32	87	1
3. Rôle d'organisme de concertation des associations-membres pour les dossiers interprovinciaux en Atlantique.	2	17	106	1
4. Rôle d'organismes de concertations de l'ensemble des intervenants Acadiens (organismes sectoriels) sur les dossiers interprovinciaux.	10	33	77	6
5. Rôle de porte-parole pour les questions acadiennes au plan national.				
a) auprès du gouvernement canadien	29	27	63	7
b) auprès des organismes nationaux (dont la FFHQ)	53	32	30	11
c) en plus des associations provinciales, ou	45	29	43	9
d) à la place des associations provinciales	62	18	22	14
6. Rôle de porte-parole pour les questions acadiennes auprès du Québec				
a) en plus des associations provinciales, ou	27	32	49	18
b) à la place des associations provinciales	54	19	33	20
7. Rôle de développement des principes sur lesquels reposeront les modèles de développement pour l'Acadie	17	41	58	10
8. Rôle de regroupement des Acadiens de l'extérieur de l'Atlantique (USA, Québec, Ontario)	38	37	48	3

Note: Cette compilation est basée sur les 126 rapports qui nous ont été remis.

Michel Bastarache   Président du comité de synthèse

Photo: Terry Mourant

Banquet de clôture, congrès SNA, 1965, Caraquet.
(Collection M. Euclide Daigle)

ANNEXE A

LES SYMBOLES ET LA RÉALITÉ

1. Nos conventions nationales - en bref-

1881 - MEMRAMCOOK

La première convention nationale de 1881, réunissait cinq mille Acadiens de tous les coins de l'Acadie, qui ont débattu les grandes questions: l'éducation, l'agriculture, le problème de l'émigration, la colonisation et la presse. Le choix d'une fête nationale domine les débats; la fête de Notre-Dame de l'Assomption, le 15 août, est l'élue.

1884 - MISCOUCHE

La convention des symboles. On y choisit un drapeau, le tricolore étoilé; un hymne, ou plutôt "air" national, l'Ave Maris Stella; un insigne et une devise, "L'Union fait la force". Les principales propositions visent à enrayer l'émigration vers les États-Unis, à encourager la colonisation, à freiner l'anglicisation et à doter les Acadiens de l'Ile-du-Prince-Édouard d'un meilleur système d'éducation en français.

1890 - POINTE-DE-L'ÉGLISE

La langue d'enseignement au collège Sainte-Anne et dans les écoles et couvents acadiens de la Nouvelle-Écosse constitue la question prédominante. On recommande que le français soit la langue d'enseignement et qu'on ne délaisse pas l'apprentissage de l'anglais.

1900 - ARICHAT

La nomination d'un évêque acadien retient l'attention des délégués de cette quatrième Convention nationale. Aussi, on incite tous les journaux acadiens à se rallier pour la défense et la protection des intérêts du peuple acadien. Wilfred Laurier, premier ministre du Canada est présent.

1905 - CARAQUET et 1908 - ST BASILE

Sous le thème "L'Union fait la force", les congressistes demandent encore la nomination d'un évêque acadien et incitent les écrivains et journalistes acadiens à produire des articles de fond et reproduire moins d'articles de journaux étrangers. Au rassemblement de 1905, on encourage les Acadiens à s'intéresser davantage à l'industrie et au commerce, on recommande que le français soit enseigné dans les écoles normales des provinces maritimes et qu'on adopte des manuels français pour les écoles acadiennes. On demande enfin que le gouvernement vienne en aide aux cultivateurs acadiens.

1913 - TIGNISH

"Congrès d'action de grâces" suite à la nomination d'un évêque acadien, ce rassemblement s'intéresse surtout au rapatriement et au rétablissement en terre acadienne des Acadiens exilés aux États-Unis.

1921 - POINTE-DE-L'ÉGLISE et GRAND-PRÉ

Les assises de ce "Congrès du souvenir" sont suivies d'un pèlerinage à Grand-Pré où la Société nationale l'Assomption a fait l'acquisition d'un terrain. On lance une campagne de souscription pour la construction d'une chapelle à cet endroit. On demande que les erreurs contenues dans les textes d'histoire du Canada, relativement à l'histoire acadienne, soient corrigées. On recommande avec instance aux Acadiens de s'abonner à leurs journaux.

1927 - MONCTON

La Convention trace un programme d'action politique et économique pour le peuple acadien. On recommande que les Commissions d'étude se réunissent dorénavant une fois par année. On définit certaines stratégies afin d'augmenter la représentativité des Acadiens au gouvernement provincial du Nouveau-Brunswick. On encourage l'organisation en coopérative pour l'achat et la vente des produits de la ferme, de la forêt, de la pêche et de l'industrie. On incite les Acadiens à s'exprimer en français dans leurs correspondances avec les ministères provinciaux et fédéraux et dans tout établissement public.

1937 - MEMRAMCOOK

Lors de ce "Congrès de la renaissance", on adopte diverses recommandations en ce qui a trait à l'amélioration de l'industrie de la pêche et aux problèmes de la presse acadienne, mais les principales questions discutées traitent des droits scolaires et de la colonisation.

1955 - LES FETES DE 1955

Soulignent le bicentenaire de la Dispersion des Acadiens. C'est à Memramcook, Moncton et Grand-Pré qu'eurent lieu les principaux rassemblements du 15 août. Mais toute l'Acadie est en fête et des célébrations ont lieu dans de nombreux centres acadiens. Les Fêtes sont considérées comme le onzième grand ralliement des Acadiens.

1957 - MEMRAMCOOK

La Société nationale l'Assomption devient la Société nationale des Acadiens. Les manifestations majeures consistent en la création d'un Conseil d'administration et l'établissement d'un secrétariat permanent.

1960 - POINTE-DE-L'ÉGLISE

Les séances d'études du congrès "Les Acadiens en 1960" précisent les besoins des Acadiens et examinent les perspectives d'avenir en procédant à l'examen de l'efficacité de la Société nationale des Acadiens, à la définition du patriotisme des Acadiens et de leurs conditions d'avancement économique et culturel. La commission d'étude sur ce dernier thème proposait la création d'une université acadienne.

1965 - CARAQUET

La préoccupation dominante du congrès "Nos forces vives face à l'avenir", est de mettre l'accent sur le développement des forces vives des Acadiens, par exemple le dynamisme de la jeunesse, et de faire un effort de projection vers l'avenir en analysant positivement les problèmes d'actualité et les besoins de la population.

1972 - FREDERICTON

Le "Congrès des francophones du Nouveau-Brunswick" regroupe plus de mille Acadiens. 264 résolutions sont adoptées en ce qui a trait aux thèmes suivants: la politique, le bilinguisme, les média d'information, l'union des provinces maritimes, la fonction publique, l'éducation, l'économie et la culture. La Société des Acadiens du Nouveau-Brunswick est fondée et La Société nationale des Acadiens peut maintenant redevenir le porte-parole des intérêts généraux des Acadiens des Maritimes après une période où elle agissait surtout comme l'organisme des Acadiens du Nouveau-Brunswick.

1.1 La première convention nationale acadienne -Memramcook, 1881-
Un mouvement de prise de conscience collective chez le leadership acadien

Replacée dans son contexte, la tradition inaugurée à Saint-Joseph-de-Memramcook en 1881 s'inscrit dans un mouvement de prise de conscience collective au sein du leadership acadien, mouvement qui remonte aux années 1860.

Jusque vers les années 1860, en effet, les Acadiens s'étaient peu exprimés comme peuple; isolés les uns des autres, sans classe dirigeante, ils ne se rencontraient pas pour élaborer des programmes. Ils avaient néanmoins fondé dans le sol une nouvelle Acadie pour faire échec à la déportation décrétée contre eux en 1755.

Mais leurs préoccupations ne dépassaient pas, en général, leur petit village. Leur encadrement restait entre les mains de non-Acadiens, c'est-à-dire des anglophones, des Français de France ou des Québécois. D'ailleurs, l'appui de ces Français et de ces Québécois ne devait pas être tout à fait étranger au mouvement nationaliste acadien qui allait naître dans les années 1880.

En 1852, un séminaire était fondé dans la paroisse de Saint-Joseph-de-Memramcook par le curé de l'endroit, le père François-Xavier Lafrance. Pris en main par les pères de la congrégation Sainte-Croix en 1864, le séminaire devenait le collège Saint-Joseph. C'est de ce collège que sortit une bonne partie des leaders nationalistes acadiens de l'époque.

En 1867, Israël Landry de Québec lançait à Shédiac le premier journal de langue française dans les Maritimes, le **Moniteur Acadien**. Cet hebdomadaire sera publié jusqu'en 1926. Désormais, il serait possible pour les Acadiens de se rencontrer, d'échanger des idées, ne fût-ce que par la voix d'un journal.

Avec une institution d'enseignement supérieur et un journal, une ère nouvelle s'annonçait. Mais c'est à Québec que fut déclenché le mécanisme qui devait inaugurer la tradition des conventions nationales acadiennes.

En 1880, la Société Saint-Jean-Baptiste de Québec organisait un congrès de tous les francophones de l'Amérique du Nord et elle lançait un vibrant appel aux Acadiens: "Vous viendrez, aussi, Acadiens courageux et fidèles, race indomptable que ni la guerre, ni la proscription n'ont pu courber ni détruire, rameau plein de sève, violemment arraché d'un grand arbre, mais qui renaît et reparaît au soleil de la liberté. Tous ensemble nous célébrons la Saint-Jean-Baptiste par des réjouissances dont Québec gardera le souvenir."

Plus d'une centaine d'Acadiens devaient se rendre à Québec pour ce 24 juin 1880 afin de participer aux travaux de la septième commission qui leur avait été réservée. C'était la première fois qu'un nombre aussi impressionnant d'Acadiens se réunissait pour discuter de leur avenir collectif.

Ils venaient d'un peu partout en Acadie, mais notamment de Saint-Basile, Poquemouche, Moncton, Egmont Bay, Saint-Louis-de-Kent, Miscouche, Tracadie, Caraquet, Saint-François-du-Madawaska, Sainte-Marie-de-Kent, Shédiac, Tignish, Bouctouche, Havre au Boucher, Memramcook et Dorchester. Le groupe du Nouveau-Brunswick était cependant plus nombreux.

La résolution la plus importante de la septième commission fut sans contredit la décision de se réunir à Memramcook l'année suivante "pour s'occuper des intérêts généraux des Acadiens".

Le 10 mai 1881, le comité d'organisation de la convention se réunissait à Shédiac et demandait aux membres du clergé "de prêter leur puissant et indispensable concours à l'organisation de la convention et de se mettre à la tête du mouvement".

Le comité invitait par la même occasion chaque paroisse acadienne à "se faire représenter à la convention par trois délégués élus à majorité des voix à une assemblée publique convoquée à cette fin et munis d'un écrit du président et du secrétaire de telle assemblée attestant leur élection".

Les 20 et 21 juillet furent retenus comme jours des assises de la convention. Cinq commissions étaient de plus mises sur pied; celles du choix d'une fête nationale, de l'éducation, de l'agriculture, de la colonisation, de l'émigration et de la presse.

Au delà de 5,000 personnes visitèrent Memramcook en ces 20 et 21 juillet 1881. Tous n'étaient pas des délégués, loin de là, mais l'évènement réunissait aussi une foule de curieux attirés par l'atmosphère de pique-nique paroissial qui y régnait.

On sait à quel point la convention de 1881 fut dominée par les débats entourant le choix d'une fête nationale acadienne. Partisans de la Saint-Jean-Baptiste, fêtée de 24 juin, et partisans de l'Assomption, fêtée le 15 août, plaidèrent à tour de rôle. Les relations entre l'Acadie et le Québec, l'histoire des Acadiens, la spécificité de leur situation, la question de savoir quelle saison convenait le mieux pour célébrer une fête, ce sont là les thèmes principaux des intervenants.

Qui prenait part à ces débats? Bien que les paroisses élisaient leurs délégués pour les représenter aux conventions nationales de l'époque, (avec, d'ailleurs, des résultats qui variaient beaucoup d'une paroisse à l'autre, certaines paroisses ne procédant nullement à ces élections), il n'en demeure pas moins que la forte majorité des intervenants provenait d'un groupe de leaders déjà reconnus comme tels dans leurs milieux, une élite intellectuelle en quelque sorte, formée de prêtres et de personnalités issues des professions libérales, soit des hommes politiques, des marchands, des avocats, des enseignants et des médecins.

Le clergé est intervenu surtout du côté des thèmes ayant trait à l'éducation, la religion, la colonisation, l'agriculture et au problème de l'émigration. Quant aux laïcs, ils ont surtout insisté sur la définition de presse, la survivance et, quoique très peu, sur le domaine politique.

Ces thèmes seront en fait ceux que les nationalistes acadiens débattront pendant des années encore. Le problème de l'éducation et celui de l'acadianisation de l'Église en Acadie monopoliseront même presque à eux seuls les énergies des nationalistes jusque dans les années 1950.

La première convention a donné lieu à des débats qui ont abouti à l'adoption de la fête nationale du 15 août et de l'hymne national.

Léon Thériault
Professeur
Département d'Histoire
Université de Moncton

1.2 LA CONVENTION DE MISCOUCHE - 1884

Ce n'est pas sans difficulté que la deuxième Convention nationale des Acadiens fut organisée en 1884. La principale pierre d'achoppement que les organisateurs ont eu à surmonter fut l'opposition des évêques des provinces maritimes, principalement celle de Mgr Peter McIntyre du diocèse de Charlottetown. Le nationalisme acadien, qui prenait de plus en plus d'ampleur en ces années, énervait l'épiscopat catholique irlandais et écossais qui se demandait à quoi allait mener cette "agitation" au sein de la communauté francophone. Il craignait que ce réveil national lui fasse perdre le contrôle qu'il détenait sur cet important groupe de catholiques que constituaient les Acadiens des Maritimes. C'est ainsi qu'ils ont sournoisement essayé d'empêcher la tenue de la Convention qui devait avoir lieu à Miscouche dans l'Ile-du-Prince-Édouard. Pensant qu'aucune convention ne pourrait avoir lieu sans la participation des prêtres acadiens, l'évêque de Charlottetown convoqua tout son clergé à une retraite obligatoire pour la même date. Mais presqu'à la dernière minute il se vit forcé d'annuler sa retraite sous la pression de certains leaders acadiens. D'ailleurs, les principaux organisateurs étaient déterminés à aller de l'avant avec la Convention soit à la date prévue, soit une semaine plus tard, et , à la rigueur, sans la participation du clergé acadien.

Les Acadiens ont bientôt eu vent de l'intention de l'évêque de l'Ile, et comme pour faire fi de son opposition dissimulée, ils se sont présentés en assez grand nombre à Miscouche; "les oppositions du commencement ont puissamment aidé aux triomphes de la fin", écrivait-on dans le Moniteur Acadien après la tenue du rassemblement.

À cette premère convention à se dérouler à l'Ile-du-Prince-Édouard, la parole a été réservée presque entièrement aux Acadiens. Ceci est contraire à celle de Memramcook, tenue en 1881, où plusieurs invités du Québec avaient pris la parole. A Miscouche, les participants "canadiens" étaient absents, possiblement à cause des problèmes encourus dans l'organisation de l'événement et des incertitudes de la dernière heure. Les orateurs n'ont toutefois pas manqué pour autant car l'Acadie en comptait maintenant sa bonne part, et ce, de première classe.

La Convention de 1884 est demeurée célèbre principalement parce que c'est à cette occasion que furent choisis le drapeau et l'hymne national acadiens, ainsi qu'un insigne et la devise, "L'Union fait la force". Mais d'autres discussions importantes ont eu lieu. D'abord, on a débattu le problème de l'émigration des Acadiens aux États-Unis et des moyens de mieux promouvoir la colonisation de nouvelles paroisses acadiennes afin de garder les enfants au pays.

Une des plus grandes préoccupations des congressistes était celle de l'anglicisation de la communauté, surtout celle de l'Ile. On a alors beaucoup discuté des moyens à prendre pour contrecarrer ce phénomène. Ainsi, on a insisté sur le besoin d'améliorer la qualité et surtout la quantité de l'enseignement du français dans les écoles. D'autre part, on a fondé la Ligue française, organisme dont le but serait la propagation de la langue française. L'intention était de rattacher cette Ligue à l'Alliance Française récemment formée en France. Les délégués au congrès avaient espoir que des succursales de la Ligue seraient mises sur pied dans les paroisses acadiennes. Malheureusement la Ligue française n'a pas pris son envolée. Tout au plus, son secrétaire, Pascal Poirier, a maintenu pendant de nombreuses années de fructueux contacts avec l'Alliance Française, ce qui a pu bénéficier de diverses manières aux Acadiens.

Enfin, les congressistes ont aussi délibéré sur les thèmes de l'agriculture, du commerce et de l'industrie mais ils n'ont pas touché le domaine de la pêche. Pourtant, à l'époque, un très grand nombre d'Acadiens vivaient, quoique pauvrement, de cette occupation.

Au terme de la Convention de Miscouche, l'enthousiasme était grand chez les dirigeants acadiens. On se quittait sur une note optimiste, riches de nombreuses bonnes intentions et surtout fiers des nouveaux symboles qu'on s'était donnés. Au dire du Moniteur Acadien, "les plus indifférents mêmes s'en sont revenus enthousiasmés, et ceux qui désespéraient de voir jamais la nationalité franco-acadienne se relever, ont senti, en présence de tant de foi religieuse, de tant de vitalité nationale, un rayon de céleste espérance se glisser dans leur âme."

Avec la Convention de 1884, les Acadiens franchissaient une

autre étape dans la consolidation de leurs forces. Un nouveau comité était élu dans le but d'organiser la troisième convention qui aurait lieu en 1890 à la Pointe-de-l'Église, en Nouvelle-Écosse. Ainsi, on s'assurait une continuité dans cette première institution nationale acadienne qu'est la Société nationale l'Assomption, aujourd'hui connue sous le vocable "Société nationale des Acadiens".

Georges Arsenault
Historien
Ile-du-Prince-Édouard

1.3 LES FÊTES DE 1955

De 1881 à 1937, la Société nationale l'Assomption a tenu dix grands congrès, à des intervalles variant de trois (3) à dix (10) ans, en moyenne tous les cinq (5) ans -- une impressionnante performance!

Le ralliement de 1937, que le président du temps, le juge Arthur T. LeBlanc, dans un moment d'enthousiasme dû à la nomination du premier archevêque acadien, appela le congrès "de la Reconnaissance", prit l'allure d'une apothéose. Mais ce fut presque un chant du cygne, suivi d'années d'inactivité, comme si la Nationale était vouée à la disparition. Jusqu'au jour où le sentiment national fut saisi d'un projet qui s'imposa d'urgence: la commémoration du deuxième centenaire de la Dispersion.

En 1955, la Renaissance était bien engagée: les Acadiens étaient pourvus de bonnes maisons d'éducation; ils disposaient d'excellents chefs de file; ils avaient leur archevêque et trois évêques; leurs moyens de communication, journaux et radio; de solides organisations économiques, comme la Mutuelle l'Assomption et les Caisses populaires. En outre, les contacts commençaient avec les groupes éloignés comme les frères louisianais.

Il devenait impératif de souligner publiquement le fait de la Renaissance par l'expression d'une Reconnaissance collective.

L'organisme le plus autorisé pour assumer l'initiative des fêtes d'envergure était la vieille Société nationale l'Assomption qu'il fallait renflouer pour lui insuffler une nouvelle vitalité. Dès le début de 1950, les survivants de l'exécutif élus au congrès de 1937 se réunissaient pour remplacer les officiers défunts, dont le président, François Comeau, mort en 1945.

Une fois le conseil réorganisé, le nouveau président, le Docteur Georges Dumont, convoqua une réunion dans le but de procéder à l'organisation du bicentenaire. La réunion eut lieu le 20 janvier 1950. Un comité central des fêtes put opérer sous la haute autorité de la Société nationale l'Assomption.

Un tel projet d'envergure devait embrigader une armée de bénévoles pour les tâches les plus diverses. Le comité jugeait impérieux de retenir les services d'un organisateur à plein temps pour coordonner les bonnes volontés. L'homme choisi pour ce rôle décisif fut le jeune avocat Adélard Savoie, qui s'est acquitté de sa mission avec zèle et expertise, s'appliquant à obtenir en tous les coins de l'Acadie une participation active aux fêtes.

On commença par établir certains principes directeurs. D'abord, se rendant compte que les fêtes gravitaient autour de la Dispersion, réalité historique apte à évoquer des propos sombres, il fut décidé de faire appel, autant que possible, à des sentiments positifs, comme la gratitude pour faveurs reçues du ciel; et même on inviterait tous les concitoyens à partager notre joie.

Deuxièmement, le comité central se rend responsable des fêtes localisées dans les principaux centres qui symbolisent les quatre idées maîtresses et les dates fondamentales qui constituent les raisons de fêter: 1955, la note dominante, l'action de grâce, qui trouve son expression à l'ombre du Monument de la Reconnaissance à la cathédrale Notre-Dame de l'Assomption à Moncton; 1855, centenaire du geste précurseur de l'abbé Lafrance alors qu'il posait à Memramcook les bases du premier de nos collèges; 1755, Grand Dérangement, au site de l'Église-souvenir à Grand-Pré et 1605, 350e anniversaire de l'établissement à Port-Royal.

Tout en assumant la responsabilité de ces fêtes générales, le comité central s'est appliqué résolument à aider les régions à entrer dans le mouvement et à adapter les célébrations locales aux situations particulières.

L'ouverture officielle des fêtes a lieu vendredi le 10 août en soirée. La foule se réunit devant la cathédrale Notre-Dame de l'Assomption, bloquant solidement l'angle des rues St-Georges et Lutz. À sept heures, les cloches sonnent à toute volée. À l'unisson, celles de toutes nos paroisses en font autant. Cet appel est suivi d'un bref message du président général des fêtes, le sénateur C.-F. Savoie et de la prière du bicentenaire par S. E. Mgr Robichaud. Enfin, pendant près d'une heure se prolonge un joyeux tintamarre par les jeunes de tous âges munis d'objets qui font du bruit. La police permet ce tapage. Le programme est radiodiffusé à travers le Canada.

Le lendemain matin, le 11, une messe pontificale est célébrée par S. Em. le cardinal James McGuigan, archevêque de Toronto, au stade de Moncton. Le sermon est prononcé par S. E. Mgr. N. Labrie, c.j.m., évêque de Hauterive.

L'après-midi, un ralliement a lieu au Parc Victoria. Les orateurs suivants expliquent le ton des fêtes: le sénateur Savoie, le maire Joyce, Mgr Robichaud, le Premier ministre Flemming, le ministre fédéral Gregg et

M. Adrien Pouliot du Conseil de la vie française.

À Moncton, sont présentées au cours de la semaine plusieurs pièces de résistance dont la plus grandiose fut le pageant historique en vingt tableaux, oeuvre du Père Laurent Tremblay, o.m.i., mis en scène par Maurice Lacasse-Morenoff, qui sera produit six soirs consécutifs, du 8 au 13 août. Ce spectacle regroupe environ 300 figurants interprétant près de 800 rôles. Il consiste en une vaste synthèse; qui rappelle l'arrivée des blancs, les origines de la colonie française en Acadie, la lutte pénible contre les Britanniques, le Grand Dérangement, le retour des exilés, la difficile remontée, le rôle des missionnaires, l'oeuvre de l'éducation et la Renaissance, et enfin, le Bicentenaire.

L'autre spectacle de classe, est conçu dans l'esprit d'une fête de famille: les Acadiens invitent leurs concitoyens à venir partager leur joie dans un gai festival de folklore. Y sont invités les Amérindiens, les Écossais, les Irlandais, les Anglais, les Louisianais et les Québécois. Dans une joyeuse finale, tous les groupes s'unissent dans une farandole entraînante autour de l'Escaouette, symbole de l'unité et du bon voisinage.

Il y eut aussi, les 11 et 12 août, au théâtre Paramount, un concert de trois artistes acadiens: Anna Malenfant, Robert Savoie et Claudette LeBlanc; avec l'accompagnateur Charles Reiner. Le violoniste Arthur LeBlanc ne put participer pour raison de santé.

À Moncton, le programme comprenait encore plusieurs autres items dignes de mention, comme la parade du jeudi, groupant 20 chars allégoriques empruntés de la Saint-Jean-Baptiste de Montréal qui cette année-là avait choisi notre bicentenaire comme thème de la traditionnelle parade du 24 juin.

A Memramcook eut lieu le matin du 12 août 1955, une autre messe pontificale, célébrée cette fois par S. E. Mgr Camille A. LeBlanc, avec sermon par S. E. Mgr Albert Cousineau, évêque du Cap-Haïtien, ancien supérieur général de la Congrégation de Saint-Croix. On commémorait ainsi le Centenaire du premier collège acadien de Saint-Joseph.

Lundi le 15 août, fête de l'Assomption, la foule se retrouva à Grand-Pré pour l'apogée. Sous un soleil radieux, en plein air, à un autel dressé sous une majestueuse pièce d'architecture reproduisant l'emblème du bicentenaire, la messe pontificale est célébrée par S. E. Giovanni Panico, délégué apostolique.

L'après-midi, au Parc, dévoilement d'un monument à Longfellow offert par le gouvernement de la Nouvelle-Écosse, suivi des hommages aux Acadiens par les dignitaires: le Premier ministre provincial, les ambassadeurs de France et des États-Unis, les représentants du Haut Commissaire de l'Angleterre, du Premier ministre du Québec, et de l'État de la Louisiane. Le lendemain, 16 août, eut lieu la cérémonie de clôture à l'habitation de Champlain à Port-Royal.

Après les fêtes, un comité fut institué pour étudier les nouvelles conditions sociales et proposer un projet de rajeunissement de la Société nationale. Le Conseil de la vie française a fait un don de 25 000 $ pour relancer la Société nationale des Acadiens. Cette relance s'est concrétisée au congrès de 1957.

Père Clément Cormier

1.4 LA RENAISSANCE DE LA SNA (1957 et 1960)

Le réveil de 1955 et les grandes foules accourues à toutes les démonstrations à caractère patriotique et historique avaient rappelé l'existence de la Société nationale ainsi que ses prestigieux états de service pendant plus d'un demi-siècle. Elle avait été réellement le gouvernement de l'Acadie, disaient ses défenseurs, élu en due forme à chaque convention nationale. Par ailleurs, Le Conseil de la vie française en Amérique, ainsi que sa fondation la Fraternité française, conscients du glorieux passé de notre société nationale, offrent discrètement 25 000 $ pour la ressusciter mais à la condition expresse qu'elle soit dotée d'un secrétariat permanent. Le stimulant est généreux, intelligent et efficace. Le défi est relevé: si la Société nationale a encore sa raison d'être, elle doit être restructurée, être capable d'exercer un travail en profondeur et systématique, capable de conduire programmes et campagnes d'action avec fermeté. Le temps presse. Le comité spécial qui avait organisé les fêtes de 1955 s'adjoint des valeurs sûres et prend l'initiative de codifier une formule de rajeunissement de la Société nationale. Un projet de constitution est préparé lors d'une réunion en date du 6 avril 1957. On convoquera tous les intéressés à une réunion publique. L'endroit est facile à choisir: on ira à Memramcook, là même où la "vieille Assomption" avait été fondée.

Congrès de 1957

Le 22 juin 1957, le douzième congrès général des Acadiens a lieu à Memramccok dans le seul but de déterminer l'avenir de la Société. L'organisation formée aux termes de la constitution nouvelle serait la continuation de la Société nationale l'Assomption. L'innovation essentielle serait l'établissement d'un secrétariat permanent, opérant sous la direction immédiate de l'exécutif. Une deuxième innovation importante fut la mise sur pied d'un CONSEIL représentatif et habilité à se prononcer d'autorité sans attendre cinq ans jusqu'à un prochain congrès, mais assez restreint pour pouvoir se réunir au moins annuellement. Une troisième modification importante: l'organisme s'appellerait La Société nationale des Acadiens. (SNA)

Le 1er août 1958, le secrétariat de la SNA ouvrait ses portes à 248 rue Archibald, Moncton. (Aujourd'hui l'adresse de Radio-Canada). Alban Daigle sera le premier chef du secrétariat qu'il dirigera jusqu'en 1964 avec un dévouement inlassable et un dynamisme engageant.

Le 11 avril 1959, le projet de loi d'incorporation de la SNA, préparé par Me. Adélard Savoie, reçoit l'assentiment royal à Frédéricton. Le 19 septembre 1959, deuxième réunion du Conseil général. La date et le lieu du prochain congrès sont choisis. Un comité poursuit l'étude des décorations pour Acadiens méritants d'où résultera la création de l'Ordre de la fidélité acadienne. La SNA patronnera une nouvelle campagne de souscription en faveur de l'ÉVANGÉLINE qui en recevra une somme dépassant les 43 000 $.

Congrès de 1960

Du 11 au 14 août 1960, le treizième congrès général des Acadiens a lieu à la Pointe-de-l'Église en Nouvelle-Écosse. Il a pour thème: "Les Acadiens en 1960; besoins et perspectives". Il marque le 70e anniversaire de la troisième convention, la plus considérable de toutes, tenue au même endroit en 1890.

À la tête de la liste des patrons figurent cinq évêques acadiens, dont les titulaires des deux nouveaux diocèses d'Edmundston et de Yarmouth. À la tête d'une liste de 4 sénateurs acadiens, de 7 députés fédéraux et juges de Cours supérieures, domine l'honorable Louis Robichaud, nouveau premier ministre de la province du Nouveau-Brunswick. Louis Robichaud, vainqueur spectaculaire des élections provinciales du 27 juin 1960, et qui, il y a un mois publiait la liste de son cabinet de 12 ministres dont six francophones. Le même homme qui entraînera plus tard sa province retardataire et récalcitrante à vivre à l'heure du 20e sicècle. À la Pointe-de-l'Église, c'est l'euphorie.

Ce congrès aura été plus une réunion des élites de nos diverses régions qu'un ensemble de manifestations populaires. Quatre commissions d'étude provoquent et animent les discussions: Le rôle de la SNA (Mgr Paul Émile Gosselin, secrétaire-général du Conseil de la vie française en Amérique); La Conception du patriotisme (Euclide Daigle, chef de l'Action sociale, Société Mutuelle l'Assomption); L'Avancement économique (Jean Cadieux, professeur à l'Université St-Joseph) et l'Avancement culturel (Jean Hubert, rédacteur à l'ÉVANGÉLINE). Tous sont conscients du fait que si le présent émerge du passé, il ne doit pas en être une simple réplique. Ainsi, malgré nos progrès considérables en économie, il n'en demeure pas moins que le monde économique est toujours la partie de notre armure la plus faible et la plus vulnérable. L'aspect de l'enseignement et de l'éducation qui mérite le plus l'attention est le problème de l'enseignement supérieur. Le cours classique traditionnel doit-il être conservé? Répond-t-il encore à nos besoins? Faut-il l'adapter au programme scolaire pour en faire un parachèvement du "high school"? On ne saurait trop exagérer l'importance de nos collèges classiques. Mais ils sont essentiellement des institutions régionales avec leurs fonctions formatives, celle de promouvoir l'émulation et l'expression de la fierté locale et de la culture locale. Il ne faudrait pas que ce régionalisme accentue, au sein de notre population, des divisions que la géographie nous a malheureusement imposées. La solution? Fonder une université acadienne, insiste Jean Hubert, à la surprise d'un grand nombre. Le congrès finira par formuler le voeu que la SNA "se réunisse avec les supérieurs de nos collèges classiques pour étudier l'institution d'une université acadienne et les moyens de la financer."

Un autre voeu du Congrès souligne un problème du temps: "Que le comité exécutif de l'AAE et les représentants officiels de la Société nationale se réunissent afin de délimiter le champ d'action de leur organisation respective."

Les récipiendaires de la médaille d'or de l'Ordre de la fidélité acadienne sont: Le professeur J. Henri Blanchard de Charlottetown, le chef incontesté de la survivance acadienne sur l'Ile-du-Prince-Édouard; le Sénateur Willie Comeau de la Pointe-de-l'Eglise, vétéran de la politique et de l'action nationale en Nouvelle-Écosse; Clarence F. Cormier de Waltham, fondateur de la Société Mutuelle l'Assomption après avoir été inspirateur des démarches pour la création de la Société nationale l'Assomption; Me. Ferdinand Robidoux, journaliste et député, étroitement identifié aux débuts de la naissance acadienne.

Louis LeBel

2. Nos institutions acadiennes

2.1 La compagnie d'assurance l'Assomption

La compagnie d'assurance l'Assomption occupe une place de choix au sein des entreprises acadiennes. L'aspect extérieur de son siège social, très moderne, situé sur la rue principale à Moncton, suggère qu'il s'agit là d'une institution solide et de grande envergure. Il n'en a pas toujours été ainsi comme en témoigne son histoire.

1) Les origines (1903-1913)

La compagnie l'Assomption est née en septembre 1903, à Waltham (Mass., État-Unis). À l'époque, beaucoup de Québécois et d'Acadiens émigraient vers les États de la Nouvelle-Angleterre pour y chercher du travail dans les industries du coton, de la chaussure, de la brique, etc. Aux État-Unis, ces francophones cherchaient à se regrouper entre eux, à s'entraider. Les immigrés québécois, par exemple, avaient fondé plusieurs associations d'entraide mutuelle et ce, bien avant 1900. Or, c'est justement ce qu'un groupe d'immigrés Acadiens commença à envisager dès 1900. D'ailleurs, depuis quelques années, ces Acadiens immigrés aux É.-U. avaient pris l'habitude de célébrer la fête nationale des Acadiens et ils s'intéressaient beaucoup aux débats qui avaient suivi les conventions nationales acadiennes des années 1880. Des consultations eurent lieu entre Acadiens des États-Unis et des Maritimes entre 1900 et 1903 à la suite desquelles la société "fraternelle" dite la Société l'Assomption était fondée.

Très tôt, les Acadiens des Maritimes emboîtèrent le pas: pas moins de 26 personnalités de la vieille Acadie étaient nommées membres honoraires dès 1903. Mais la Société nationale l'Assomption (l'ancêtre de la Société nationale des Acadiens) ne vit pas tout de suite l'utilité de la nouvelle institution et la bouda, du moins au début.

La vie de la Société l'Assomption reposait sur l'Action de ses succursales locales, dont les trois premières furent fondées au Massachusetts. La première succursale des Maritimes fut celle de Bouctouche (N.-B.), en 1904. Ces succursales avaient toutes des noms qui rappelaient l'histoire acadienne: Port-Royal, Beauséjour, M.-F. Richard, D'Entremont, LaTour, etc.

Il n'était pas alors question d'assurance sur la vie. La Société voulait plutôt secourir ses membres malades, assurer une aide pécuniaire aux héritiers légaux des membres défunts et, surtout, aider la jeunesse à faire des études. Les droits d'admission étaient de 2.50$, suivis d'une cotisation mensuelle de 50 cents. S'ajoutant à cela une prime mensuelle de 5 cents pour la Caisse écolière. Le bénéfice au décès était de 100 $; quant au bénéfice pour maladie, il se montait à 5$ par semaine.

Après dix années de travail, la Société disposait d'un actif de 26 000 $ et comptait 7,500 membres dans 115 succursales dont 30 étaient situées aux États-Unis et 85 au Canada. Elle avait déjà versé 100 000 $ en bénéfices.

2) L'assurance: un nouveau service (1913-1926)

Vers 1910, des dirigeants de la nouvelle Société commencèrent à se demander s'il ne serait pas préférable d'ajouter l'assurance sur la vie aux services déjà offerts. C'est ce que l'on décida de faire à la sixième Convention générale de l'organisme tenue à Shédiac en août 1913: on pourrait s'assurer pour 100 $, avec des primes qui variaient selon l'âge de l'assuré. C'est aussi à cette convention qu'on décida de transférer le siège social de Fitchburg (Mass.) à Moncton, étant donné surtout que l'État du Mass. imposait des conditions difficiles à respecter pour une jeune compagnie comme la Société l'Assomption. Cette inclusion de l'assurance parmi les services offerts par la Société déplut cependant à bien des Acadiens résidant aux É.-U. et plus de 2,000 franco-américains démissionnèrent alors de l'organisme.

Désormais, cependant, la vente d'assurance sur la vie allait être l'une des activités les plus importantes de la Société l'Assomption. Le maximum des polices fut porté a 1 000 $ en 1916, à 2 000 $ en 1923 et à 5 000 $ en 1931. De 1914 à 1924, la Société porta son actif à 200 000 $ et son assurance en vigueur à plus de 500 000 $, période pendant laquelle elle versa, bon an mal an, environ 32 000 $ en bénéfices. Mais en 1924, le nombre de ses membres atteignait à peine 6,000 alors qu'il avait déjà dépassé les 7,000.

L'aide aux écoliers demeurait encore un service important de la jeune Société. Les membres pouvaient en effet, grâce à la Caisse écolière, faire instruire leurs enfants dans les collèges. Entre 1903 et 1913, la Caisse avait aidé 85 garçons en payant leurs frais de collège. On procédait à la sélection des candidats par un concours écrit. Au début, seuls les garçons étaient éligibles mais en 1914 la Caisse offrit ses services aux filles qui fréquentaient les couvents (les collèges d'alors n'acceptaient que les garçons). Entre 1914 et 1924, la Société permit à une trentaine de filles de poursuivre leurs études au niveau secondaire, dans des couvents. Enfin, en 1919, la Caisse universitaire sera fondée pour subvenir aux besoins de ceux qui voulaient aller au delà d'un simple baccalauréat.

Telles sont donc les premières années de la fondation de la Société Mutuelle-Vie l'Assomption. En 1986, la compagnie l'Assomption continue à se considérer comme une institution acadienne. Pendant les 75 premières années d'existence (1903-1978), elle a versé 62 500 000 en bénéfices, mais le rythme s'accroît constamment: en 1985, la société versait 12 800 000 sous ce chapitre. Ses affaires en vigueur, à la fin de 1985 se chiffrait à12 718 000 000 $, dont la forte partie en assurances. Quant à son actif, il était alors de 186 521 606 $ (comparé à 58 953 000 $ en 1975).

La compagnie est devenue et reste un élément essentiel de pouvoir économique acadien, comme les caisses populaires qui nous sont venues un peu plus tard.

Léon Thériault
Professeur d'histoire
Université de Moncton

2.2 NATIONALISME ET CAISSES POPULAIRES

Relater la fondation des Caisses populaires en Acadie sans tenir compte de l'esprit nationaliste qui animait ses fondateurs serait biaiser l'histoire car, dès leurs premiers jours, les Caisses furent empreintes de cette fierté qu'ont toujours eue les Acadiens à devenir propriétaires de leurs institutions tant économiques que culturelles.

Dépourvues de tout, les nôtres ressentaient, dès la fondation des premières Caisses, ce sentiment de pouvoir enfin devenir propriétaires. Habitués qu'ils étaient à toujours être à la remorque des autres surtout dans le domaine économique, ces nouvelles institutions leur inspiraient confiance.

Pour bien comprendre l'histoire des Caisses populaires acadiennes, il faut presque avoir vécu les anneés de crise économique afin de réaliser d'où nous sommes partis et combien de chemin nous avons parcouru depuis un demi-siècle.

La jeune génération n'a aucune idée de ce que furent les années trente et les débuts des années quarante.

Il fallait avoir énormément d'audace et surtout de confiance en l'avenir pour prêcher l'épargne à des gens qui vivaient dans la pauvreté. Cependant, il faut avouer que ce climat de pauvreté fut favorable à la naissance du mouvement coopératif, car les gens étaient tellement pauvres qu'ils se disaient qu'après tout, la formule coopérative ne pouvait être pire que ce qu'ils vivaient.

Dans le cadre de l'étude que poursuit la Société nationale des Acadiens afin de trouver sa véritable mission, nous devrions toujours tenir compte du fait que l'économique et le nationalisme sont deux réalités tout aussi importantes aujourd'hui qu'hier.

Pour les fondateurs du mouvement coopératif acadien, il est

évident que les éléments nationalistes de l'époque ont été d'un précieux appui aux premières caisses populaires.

Les pionniers se rappellent ces tournées qu'effectuaient ensemble les dirigeants de la Société Mutuelle l'Assomption, des Caisses populaires et de l'Évangéline afin de promouvoir ces trois piliers de la société acadienne.

À cette époque, ces trois institutions étaient considérées comme des éléments essentiels au développement du peuple acadien.

Cependant, ce triumvirat, ne serait pas complet, si nous n'y ajoutions un aure groupe qui a joué un rôle tout aussi important dans l'évolution de notre peuple, le clergé.

Le clergé de l'époque était constitué, en général, de fiers nationalistes qui défendaient tout autant la foi que la langue ainsi que toutes ces institutions qui constituaient le petit patrimoine du peuple acadien.

Les tournées de propagande prenaient l'allure de véritables missions où semaine après semaine, nous allions prêcher la bonne nouvelle dans nos paroisses acadiennes.

Il est difficile d'oublier l'éloquence d'un Calixte Savoie et d'un Docteur Georges Dumont ainsi que le dévouement inlassable de quelques autres nationalistes qui bénévolement sacrifiaient leurs fins de semaines pour promouvoir nos institutions acadiennes.

Panélistes: Martin Légère, Irène Guerette, Jean-Marie Nadeau, Michel Bastarache, Melvin Gallant.

On peut donc conclure que dans l'évolution des Caisses populaires acadiennes, le facteur nationaliste fut un des éléments moteurs.

D'ailleurs, il fallait beaucoup plus que le dévouement inlassable d'un Monseigneur Livain Chiasson ou d'un Monseigneur Camille-André LeBlanc pour assurer le développement d'un mouvement qui est devenu l'une des principales forces économiques de l'Acadie. Il fallait une inspiration, et cette inspiration, elle découlait de la fierté de ces hommes envers leur petite patrie, l'Acadie.

Afin d'être plus spécifique au sujet de l'histoire des Caisses populaires disons que la première Caisse fut fondée en décembre 1936 à Petit-Rocher, suite aux cercles d'étude organisés par l'abbé Ernest Chiasson, qui était alors vicaire de cette paroisse.

Les débuts furent extrêmement lents et parfois pénibles car les pauvres gens n'avaient pas d'argent et pouvaient difficilement économiser.

En feuilletant les vieux livres des comptes des Caisses, on constate qu'à cette époque, l'épargne se pratiquait par des dépôts aussi humbles que 10 ou 15 cents par semaine. Il fallut donc quelques années afin d'atteindre le premier 100,000 $ pour l'ensemble des Caisses.

Même en 1945 lorsque se fondait la Fédération, l'ensemble des Caisses avait à peine deux millions d'actif. C'est dire que là encore, il fallait non seulement avoir foi en l'avenir mais aussi confiance en la fierté des Acadiens, dans leur nationalisme, pour mettre sur pied une telle organisation.

Il est intéressant de noter que ce fut à partir de ce moment que les Caisses acadiennes prirent véritablement leur essor, comme si le fait de posséder leur propre Fédération leur avait donné un nouvel élan.

Il serait bon de noter que la <u>Fédération des Caisses populaires acadiennes</u> fut vraiment le moteur de ce magnifique développement des Caisses depuis 1945. Il est évident que sans cet organisme, le mouvement coopératif acadien ne serait pas ce qu'il est aujourd'hui.

Cinq ans après la fondation de la Fédération, les Caisses dépassaient le trois millions puis en 1955, elles atteignaient six millions pour passer dix ans plus tard à vingt millions. Puis, c'est vraiment une montée assez rapide pour l'époque puisqu'en dix ans, l'actif des caisses passe de vingt millions à cent vingt et un millions. Cette montée, pourtant importante, devait se prolonger par une véritable avalanche lorsqu'en 1986, les Caisses populaires acadiennes atteignaient le demi milliard à l'occasion de la célébration du cinquantième anniversaire de fondation de la première caisse.

Je n'essayerai pas d'évaluer l'impact des caisses populaires dans le domaine économique où elles ont prêté des milliards de dollars aux nôtres.

Pionnières du prêt hypothécaire dans les régions rurales, les caisses sont à l'origine de la construction de l'immense majorité des maisons neuves que nous retrouvons dans nos régions.

Leur rôle dans le domaine commercial, industriel et manufacturier, bien que parfois minimisé par ceux qui n'ont pas oeuvré dans les caisses, est loin d'être négligeable. Les caisses ont été et sont encore présentes dans la vie économique de nos régions de façon très active et leur contribution a permis la mise sur pied de nombreuses petites et moyennes industries.

La création d'une société d'assurance, La Société d'assurance des Caisses populaires acadiennes est un autre élément que l'on oublie parfois. Pourtant, cette toute jeune entreprise est l'une des plus solide en Amérique, grâce à ses très fortes réserves. Son entrée, assez récente, dans le domaine de l'assurance individuelle est une réussite notable, ce qui prouve, encore une fois, qu'il n'est pas nécessaire d'être situé dans la grande ville pour réussir, comme le proclament les protagonistes de la centralisation.

Comprenant la nécessité de maintenir un haut degré de perfectionnement du personnel de nos institutions coopératives, les dirigeants fondaient l'Institut de coopération acadienne afin de maintenir la doctrine coopérative tout en permettant aux employés et dirigeants de nos entreprises de se perfectionner afin d'être toujours à la fine pointe du progrès.

En définitive, le mouvement coopératif acadien est certes celui qui a aidé le plus les nôtres à se faire une place dans le monde des affaires tout en s'affirmant dans d'autres domaines.

Cependant, il demeure essentiel que les dirigeants de ce mouvement ne perdent pas ce qui a fait la force de nos institutions dans le passé, c'est-à-dire une coopération très étroite avec les institutions telles que la SANB et la SNA qui luttent pour la préservation de nos droits.

Aujourd'hui, tout autant qu'hier, on ne peut séparer certains éléments qui ont fait que l'Acadie est encore debout après tant de tribulations, soit la foi, la langue, la culture, l'éducation et l'économie qui apporte un appui très précieux à ces éléments de survivance.

C'est en travaillant ensemble que nous continuerons à bâtir un avenir prospère et solide pour les nôtres et non pas en s'isolant les uns des autres.

La maxime "l'union fait la force" est tout aussi vraie aujourd'hui qu'elle l'était hier.

Martin Légère

2.3 Université de Moncton

L'histoire de l'Université de Moncton a été racontée avec force, détails et brio par de nombreux auteurs et plus spécialement par le rév.

père Cormier qui fut son premier Recteur et qui en est à justice titre considéré comme le Fondateur.

Je me plais aujourd'hui à rappeler certains faits et événements qui ont accompagné cette création.

Du 11 au 14 août 1960, se tenait à Pointe-de-l'Église en Nouvelle-Écosse, le 13e Congrès général des Acadiens. C'était le premier depuis la réorganisation de la Société nationale des Acadiens en juin 1957. Le thème choisi ("Les Acadiens en 1960; besoins et perspectives") donna lieu à de magnifiques exposés préliminaires et fut suivi de quatre commissions d'étude: 1. La Société nationale des Acadiens; 2. Patriotisme; 3. Avancement économique; 4. Avancement culturel.

Si les trois premières commissions donnèrent lieu à des exposés, des débats et des recommandations très intéressantes, ce fut la quatrième sur l'avancement culturel qui créa le plus de choc, puisque le conférencier, le journaliste Jean Hubert, proposait la création d'une université acadienne.

L'idée certes n'était pas nouvelle, puisque déjà en 1950 lors d'un voyage à Notre-Dame, Indiana, un groupe de Pères de Ste-Croix esquissait des plans pour agrandir l'Université Saint-Joseph de Memramcook sur le modèle des campus universitaires américains. Par ailleurs, l'archevêque de Moncton, Mgr. Robichaud, avait organisé en 1948 une campagne de souscription aux fins d'aider l'éducation. Les deux tiers des fonds obtenus furent versés à l'Université Saint-Joseph qui déménagea une partie de ses effectifs dans l'ancienne Académie du Sacré-Coeur sur la rue Church à Moncton.

Jean Hubert était le conférencier invité à la Commission "Avancement culturel". Il se demandait; "si le progrès ou l'avancement culturel de l'Acadie française n'en est pas rendu à un point qu'il exige la formation d'une institution plus vaste, supra collégiale, d'une formule universitaire nouvelle qui grouperait tous nos collèges classiques dans des cadres précis(...) Cela exigerait, il est vrai, le renoncement à un certain prestige temporaire de la part de tous nos collèges classiques: le renoncement à leur titre d'universités indépendantes. Nos universités actuelles ont un rôle important à jouer comme institutions de formation supérieure(...) mais quand elles commencent à se faire concurrence pour des fins de prestige, à promouvoir un régionalisme étroit aux dépens d'un véritable "acadianisme" cela indique un abandon des intentions premières de leurs fondateurs(...)"

"Quant à l'université, elle devrait être administrée par un conseil ou sénat formé de représentants de chacun de nos collèges classiques et d'un nombre égal de laïcs(...)"

Il n'est pas nécessaire de citer au complet le texte de Jean Hubert; qu'il suffise de rappeler que la conférence fut reçue avec étonnement.

L'ébahissement des auditeurs dépassait tout entendement. Ceux qui étaient présents à ce congrès se souviendront que les organisateurs avaient décidé que les conférences des quatre commissions d'études se feraient devant toute l'assemblée et non pas devant chaque comité particulier, et ainsi, tous, qu'ils fussent inscrits au secteur économique ou patriotique, etc., eurent l'occasion d'entendre l'exposé.

Jean Hubert termina cette partie de sa présentation en disant: "C'est peut-être faire preuve d'utopisme de parler ainsi, mais je ne le crois pas. Disons que c'est faire preuve d'idéalisme."

La Commission de l'avancement culturel recommande alors "que la Société nationale se réunisse avec les supérieur(e)s de nos collèges classiques pour étudier l'installation d'une université acadienne et les moyens de la financer."

Au cours des années 50, nos institutions classiques ne recevaient qu'une très mince contribution du gouvernement provincial à savoir 50 000 $, qu'elles se partageaient entre Saint-Joseph, Bathurst, Edmundston, Saint-Thomas et Mount Allison tandis que l'Université du Nouveau-Brunswick recevait 100,000$ par année. De plus le gouvernement provincial payait le déficit de cette dernière soit de 500,000$ à 700,000$ par année. Parler de la création d'une université du type de U.N.B. pour les Acadiens pouvait sembler utopique à ce moment-là.

Sans doute que les responsables de nos institutions d'enseignement supérieur étudièrent la recommandation du Congrès général des Acadiens de 1960; en tout cas l'idée d'une université pour les Acadiens était bien lancée et il revint alors à la Commission royale d'enquête sur l'enseignement supérieur au Nouveau-Brunswick, connu sous le nom de Commission Deutsch (du nom de son président) d'étudier ce problème sous tous ses angles. Le gouvernement de Louis Robichaud avait nommé cette commission pour étudier une situation jugée inacceptable: la prolifération des maisons d'enseignement secondaire dans la province.

La Commission siégea partout dans la province et tint des séances publiques, où il fallait présenter des mémoires. Celui des professeurs de l'Université Saint-Joseph suggérait que les subventions à l'enseignement supérieur tiennent compte du nombre de facultés ou sections de discipline et que l'on crée des subventions de départ ou de lancement de programmes. Grande fut donc la déception à la lecture du rapport Deutsch de constater que cet aspect ne fut pas retenu. Mais la recommandation de créer une université à Moncton rendait tout le monde heureux. Le gouvernement Robichaud s'empressa d'accepter ce projet qui venait chapeauter tout le système d'éducation des Acadiens. Avec une université au bout du corridor, les écoles polyvalentes prenaient en même temps tout leur essor et tout leur sens.

Philippe Rossillon, président
Les amitiées acadiennes, France

Jean-Maurice Simard

Aurèle Thériault, directeur-général, FFHQ, Jean-Marie Nadeau

et Michel Bastarache.

Nous avions aussi soumis à la Commission un tableau montrant le nombre d'étudiants que nous espérions voir s'inscrire à la nouvelle université si jamais elle était créée. Des savants calculs nous laissaient prévoir 3,000 étudiants et 300 professeurs. Ces chiffres provenaient de déductions statistiques démographiques en relation avec la fréquentation universitaire dans les autres provinces. Nous avions des difficultés à croire que nos chiffres étaient réalistes, nous avions le sourire, mais il fallait se rendre à l'évidence; nous aurions 3,000 étudiants et ce, avant que l'Université n'atteigne 15 ans d'âge.

Les membres de la Commission nous posèrent de nombreuses questions sur les calcus que nous avions faits, mais ne marquèrent pas trop d'étonnement. Ces chiffres déposés devant la Commission suscitèrent un certain scepticisme dans les milieux de l'éducation et pourtant aujourd'hui ces chiffres sont dépassés et montrent bien qu'une université pour les Acadiens est aussi valable qu'une université pour les anglophones de la province. L'Université répondait à un besoin.

Un autre chiffre qui retient l'attention de la Commission: les institutions francophones recevaient un pourcentage plus grand d'étudiants du Nouveau-Brunswick que les universités anglaises de la province. Ce qui montrait en fait que la province subventionnait les étudiants d'ailleurs.

Les pessimistes, il y en avait dans ce temps-là, et les sceptiques prétendaient que les Acadiens ne trouveraient pas de corps professionnel qualifié pour assurer l'excellence de l'enseignement. Eux aussi seraient trompés car le corps professoral de l'Université de Moncton, quand on compare les diplômes détenues par ses professeurs, est aussi qualifié que celui des autres universités. Je m'en voudrais, en terminant ce court article, trop court pour donner crédit à tous ceux qui le méritent, de ne pas signaler un petit événement.

La Commission Deutsch avait recommandé que le Gouvernement provincial verse 300 000 $ pendant cinq ans pour les fins de construction. C'était mince pour lancer une université. Une suggestion fut faite alors par celui qui devait devenir le 2e chancelier de l'Université, M. J.-Louis Lévesque. Puisque le Gouvernement promettait 300,000$ par année, pourquoi ne pas emprunter 4 millions, construire un minimum de bâtiments et utiliser le 300 000 $ pour payer les intérêts. Ce qui fut fait. Je raconte ce petit fait pour montrer qu'à chaque étape de son existence, et chaque fois qu'elle a eu des problèmes, l'Université a trouvé des amis, des experts qui l'ont aidé à progresser.

L'Université, c'est le couronnement de plus de 100 ans d'efforts de notre clergé, de nos communautés religieuses, propriétaires de nos anciennes institutions. Sans leur collaboration le projet n'aurait pu aboutir.

L'Université, c'est une preuve, la plus grandiose peut être, des réussites des Acadiens. Il faut le dire, il faut en être fier.

M. Jean Cadieux
Professeur de la Faculté d'Administration
Université de Moncton

2.4 Le voyage des quatre Acadiens en France.

"La France entière sait, voit, entend ce qui se passe ici et je puis vous dire qu'elle en vaudra mieux. Vive Montréal, vive le Québec, vive le Québec libre..."

Ce cri lancé par le général de Gaulle du balcon de l'Hôtel de ville de Montréal, le 24 juilllet 1967, est passé à l'Histoire. Le geste n'avait rien d'accidentel. Invité à visité l'Exposition universelle de 1967, le général avait suivi de près les préparatifs de son voyage. Un impératif devait être respecté: le voyage serait une rencontre avec "la nation française" du Canada, en l'occurence du Québec. La rencontre eut donc lieu. L'accueil fut triomphal, et le général, vivement ému, s'était ce soir-là montré particulièrement inspiré.

Certes, c'est surtout ce côté spectaculaire de la visite qui a retenu l'attention. Or, il n'y a pas eu que des discours. Le voyage du président de la République avait permis la signature de nombreux accords de coopérations (25 au moins) entre la France et le Québec.

Au moment où cette manne allait s'abattre sur le Québec, un animateur de réseau, Philippe Rossillon, de passage au Nouveau-Brunswick, incita des Acadiens à tirer profit du contexte pour toucher, à notre façon, le coeur du général de Gaulle et de la France. L'éclat québécois du général avait fait naître ici de grandes espérances.

Un mois à peine après la visite de de Gaulle, le ministre français de l'éducation, Alain Peyrefitte, était en mission à Québec. Le Dr. Léon Richard, alors président de la S.N.A., lui remit une lettre à l'intention du général. Les Acadiens sollicitaient une rencontre pour explorer les possibilités d'aide et de coopération entre la France et l'Acadie. La réponse ne tarda pas. L'idée d'accueillir des Acadiens à Paris souriait au général. Après sa visite au Québec, il ne fallait pas s'en étonner.

Le séjour en France

La délégation acadienne fut reçue en France du 6 au 20 janvier 1968. En plus du Dr Richard, elle comprenait M. Adélard Savoie, alors recteur de l'Université de Moncton, M. Gilbert Finn, alors président de la Compagnie Mutuelle l'Assomption et vice-président de l'Évangéline, et Euclide Daigle, alors vice-président de l'Association acadienne d'éducation. Un impressionnant programme les attendait, et la France leur réserva un traitement digne de chefs d'État.

En 1979, Rossillon dira que les délégués acadiens avaient su se montrer "persuasifs et insistants" et qu'ils avaient fait preuve d'une "remarquable intelligence du terrain". Selon E. Daigle, qui depuis septembre 1967 avait travaillé à la préparation des dossiers soumis à la France, la visite n'eut rien d'un pique-nique. Dans les ministères, dans les cabinets ministériels, ce n'est pas toujours à bras ouvert et la larme à l'oeil que l'on accueillait les derniers nés de la "coopération". Mais les projets étaient pertinents, les dossiers clairs, et les quatre délégués affichaient une solidarité sans faille. De plus, ils ont eu l'intelligence de jouer la carte de de Gaulle, question de rappeler aux interlocuteurs d'où venait l'invitation, et d'où éventuellement viendraient les ordres.

Les résultats

La visite a donné des résultats intéressants. La France s'engageait à créer un contingent spécial de 55 bourses d'étude pour l'Acadie. Des coopérants français -- des médecins, des professeurs -- seraient affectés au Nouveau-Brunswick. La France s'engageait aussi à faire un don de 19,000 livres, à créer un service culturel au consulat de France à Moncton, à venir en aide au journal l'Évangéline. Cette aide initiale en personnel, en matériel et en numéraire accordée à l'Évangéline s'évaluait à plus de 400,000$. Enfin, la construction de deux centres culturels serait envisagés, l'un à Moncton, l'autre dans le nord de la province. Voilà les grandes lignes des concessions obtenues de la France.

Les réactions

Le voyage de la délégation acadienne ne passa pas inaperçu. Il n'a pas non plus baigné dans l'unanimité.

Pour des étudiants de l'Université de Moncton, les quatre délégués étaient des membres d'une "clique", de "l'establishment", et les institutions dont ils se réclamaient étaient des "chapelles ardentes" qui depuis longtemps, trompaient le peuple. Pour d'autres, les délégués n'étaient pas représentatifs, parce qu'ils s'étaient eux-mêmes nommés ambassadeurs de l'Acadie, et parce que leurs démarches étaient demeurées relativement secrètes. Pour des gens du nord de la province, les quatre délégués provenaient tous de la région de Moncton, et ils n'avaient pas assez mené de consultation avant leur départ. Ainsi E. Corbin, éditorialiste au journal "Le Madawaska" écrira: "Moncton, Moncton, toujours Moncton. Ça devient fatigant".

Légitimes et représentatifs, les délégués? Sans doute. "Ils possédaient suffisamment d'états de service, avaient milité assez longtemps, connaissaient assez bien les problèmes pour les exposer correctement et loyalement à Paris", répond Vincent Prince dans Le Devoir.

Dans l'ordre habituel, Alain Peyrefitte, ministre français de l'éducation, Gilbert Finn, Dr. Léon Richard, Général De Gaulle, Adélard Savoie, Euclide Daigle, et un dignitaire français. Première délégation acadienne en France, Janvier 1968.

Le bilan

Il n'est pas facile, en quelques lignes, de dresser un bilan exhaustif de ce voyage. Ce n'est pas un article, mais un livre qu'il faudrait écrire à son sujet. Rappelons que ce voyage aura donné une toute autre allure aux relations France/Acadie, auparavant quasi-inexistantes. Rappelons aussi que par la vaste publicité dont il aura été la cible, ce voyage aura permis de porter le nom et la situation des Acadiens à l'attention de l'opinion publique de part et d'autre de l'Atlantique.

Il faut reconnaître, par ailleurs, que les quatre délégués acadiens avaient su battre le fer quant il était chaud. En obtenant à priori la bénédiction de de Gaulle, ils ont su vaincre les résistances des canaux officiels et les froideurs de l'administration française.

A l'époque, les délégués avaient compris que le succès de leur mission dépendait du caractère "non-étatique" de leur démarche. La SNA en tête, c'était le peuple acadien qui allait chercher l'aide de la France, et non une province anglophone "au nom" des Acadiens. Ce concept était cher à de Gaulle, et il faudrait peut-être aujourd'hui se le rappeler.

En fin de compte, pourquoi les Acadiens avaient-ils choisi d'aller si loin pour de l'aide? Pour obtenir de la France ce qu'elle était en mesure d'offrir, certes, mais aussi et surtout pour aller chercher ce qu'alors ni Fredericton, ni Québec, ni Ottawa ne pouvaient ou ne voulaient offrir.

Avant de partir pour la France, Gilbert Finn confiait à un journaliste de "La Presse" que l'Acadie avait besoin de l'aide massive de la France, car "le gouvernement fédéral et même celui du Nouveau-Brunswick ne reconnaissent pas avec assez de célérité les besoins culturels des francophones de cette province". Les choses ont-elles vraiment changé?

Louis Landry

3. La Société nationale des Acadiens -bref historique-

La ferveur qui avait marqué d'une certaine effervescence la renaissance d'un peuple lors des premiers rassemblements nationaux, perdit peu à peu de sa "chaleur".

Tout d'abord, la Société nationale l'Assomption, l'ancêtre de la Société nationale des Acadiens, n'avait pas de personnel permanent et les distances géographiques qui séparaient les responsables dispersés à travers les trois provinces maritimes étaient alors beaucoup plus restreignantes qu'aujourd'hui. De plus, la Société d'assurance l'Assomption, la "mutuelle", fondée en 1903 bénéficiait de ressources humaines et financières dont était privée la "nationale", si bien qu'elle devint la principale animatrice de la vie acadienne. Elle possédait des succursales partout où il y avait des Acadiens, ce qui favorisait l'organisation d'activités en vue de l'épanouissement de la vie acadienne. Cependant, les conventions de la Société nationale l'Assomption s'espaçaient et la dernière eut lieu en 1937 à l'Université Saint Joseph de Memramcook. Finalement, la Société mutuelle l'Assomption, s'intéressant de plus en plus à l'assurance, devint, en 1939, compagnie mutuelle et les succursales disparurent.

L'Association acadienne d'éducation prit la relève dans l'organisation de congrès qui attirèrent des foules nombreuses et firent évoluer grandement le dossier des écoles. La Société nationale l'Assomption ne fut ressuscitée, après une vingtaine d'années d'inactivité, que pour organiser les manifestations du bicentenaire de la dispersion des Acadiens. En 1957, on lui donne une nouvelle constitution et elle devient la Société nationale des Acadiens (SNA) avec conseil d'administration et secrétariat permanent au service des Acadiens du Nouveau-Brunswick, de la Nouvelle-Écosse et de l'Ile-du-Prince-Édouard.

Aujourd'hui, selon sa constitution, la SNA regroupe les francophones vivant dans les quatre (4) provinces de l'Atlantique. Chaque association provinciale, la Société des Acadiens du Nouveau-Brunswick (SANB), la Société Saint Thomas d'Aquin (SSTA) et la Fédération acadienne de la Nouvelle-Écosse (FANE) délèguent trois (3) représentants pour siéger au Conseil de direction de la SNA. La Fédération des francophones de Terre-Neuve et du Labrador (FFTNL) vient d'adhérer à la SNA comme membre affilié.

Les fonds qui permettent le fonctionnement de la SNA, en 1986, proviennent des associations-membres, du Secrétariat d'État et du Ministère des affaires extérieures du Canada.

Père Léger Comeau, président
Société nationale des Acadiens

3.1 SOCIETE NATIONALE DES ACADIENS
Sommeil et réveil

À l'instigation du Secrétariat d'État du Canada, les années 1968-69 virent la création d'associations provinciales appelées à concerter les actions de groupements francophones de toutes couleurs engagés dans la cause française au pays. Ces associations serviraient de porte-parole auprès du gouvernement canadien soucieux d'établir sur des bases solides sa politique des langues officielles.

Jusqu'à cette époque, la Société nationale des Acadiens s'était faite l'interprète de tous les Acadiens des provinces maritimes. Il y eut donc une période de désarroi à la SNA. Avait-elle perdu toute sa raison d'être? On songea même à la liquider et à répartir le fond de fiducie entre les nouvelles associations provinciales. Heureusement, il y avait les optimistes. Ils se disaient qu'un nouveau jour se lèverait pour la S.NA. Ce fond de fiducie serait la semence inactive en hiver, prête à germer au premier soleil de printemps.

L'heure du réveil sonna en 1976. Deux causes le déclenchèrent: l'accumulation des dossiers d'intérêt commun à toute l'Acadie et la chute des programmes d'échange avec la France.

Au titre des dossiers communs, on peut inscrire le Conseil des premiers ministres, la radio et la télévision, les célébrations patriotiques telles que le 100e anniversaire de la première convention nationale et du drapeau acadien, les contacts avec les instances gouvernementales francophones au pays et à l'étranger, les colloques regroupant divers groupes tel celui de 1981 pour les enseignants acadiens des trois provinces maritimes, le colloque Québec-Acadie en décembre 1982 -- et j'en passe.

Quant à la coopération avec la France, elle se dirigeait vers le néant. En 1968, la fameuse délégation de la SNA composée du Dr. Léon Richard, de Maître Adélard Savoie, de M. Gilbert Finn et M. Euclide Daigle était revenue en Acadie les bras chargés de toutes sortes de bonnes choses: des presses pour le journal l'Évangéline, des coopérants en abondance, d'importants contingents de livres, une cinquantaine de bourses de longue durée et de nombreuses bourses de stages. Envers l'Acadie, le coeur du Général de Gaulle n'avait rien de mesquin.

Les expressions d'amitié ne peuvent cependant être à sens unique. Par définition, l'amitié est un sentiment réciproque d'affection et de sympathie. L'amitié est également vorace. Il faut lui donner son pain quotidien. Sur ce point, l'Acadie tomba dans le péché grave. Après la deuxième délégation conduite en 1969, ce fut le vide. A tort, on avait pris pour acquis la reconduite automatique des premières ententes. Résultat, chute dramatique. En 1976, une poignée de coopérants, quelques rares bouquins, 5 bourses. Personne ne semblait en gémir en Acadie. Le cri d'alarme nous fut lancé par nos amis de la France:

«Nous recevons chaque année des délégations de tous les pays francophones, de l'Afrique à la Louisiane. Seuls les Acadiens des provinces maritimes semblent nous ignorer et se désintéresser de notre coopération.»

Qui donc allait renouer les liens? Seule la Société nationale pouvait représenter les Acadiens des trois provinces maritimes. Le gouvernement français accordait à la SNA seule, le statut d'interlocuteur privilégié entre l'Acadie et la France. La SNA reprit donc du poil de la bête.

Depuis sa relance en 1976, la SNA voit chaque année se multiplier les invitations à l'action. Les dossiers d'envergure interprovinciale s'ajoutent les uns aux autres. De l'extérieur, en plus de la France, la Belgique, le Québec, la Louisiane, la Nouvelle-Angleterre, la Martinique nous tendent la main.

«La moisson est abondante mais les ouvriers sont peu nombreux». Nos deux permanents, Jean-Marie Nadeau et Nicole Savoie, sont souvent essoufflés, et pour cause. Pour récolter tout le blé, il nous faut des sous, des mains et des têtes.

Léger Comeau
Président de la SNA

3.2 Les dossiers intérieurs de la SNA

Même si le côté le plus spectaculaire de la SNA semble être ses dossiers internationaux, il y a lieu de se rappeller que plusieurs dossiers interprovinciaux la marquent. De par sa nature fédérative, le crédit des retombées positives des dossiers interprovinciaux de la SNA est plus facilement partagé avec les associations membres et les groupes concernés, ce qui peut entraîner cette confusion.

Il y a lieu ici de penser au dossier des radios communautaires par exemple. Grâce à une aide du Québec et de la Fédération des Jeunes Canadiens-français, la SNA produisait à l'automne 1984, le rappoprt Delorme-Haché. À l'hiver 1985, la CIRCA (Corporation interprovinciale des radiodiffuseurs communautaires en Acadie) était fondée et à l'hiver 1986, les projets de radios de la Péninsule acadienne et des Montagnes au Nouveau-Brunswick, et Radio Clare en Nouvelle-Écosse, démarraient. On peut considérer que la CIRCA est maintenant autonome, quoique la SNA continue à assurer un soutien technique et politique.

Sur le plan des communications en général, la SNA continue de suivre de près les recommandations du rapport Sauvageau-Caplan, et a toujours soutenu la FANE dans sa demande d'un studio de production de Radio-Canada à Halifax. C'est maintenant chose faite depuis le 14 octobre 1986. Avec les coupures annoncées à Radio-Canada, il faut maintenant s'assurer que le studio d'Halifax demeure intouchable.

Pour ce qui est de Parcs-Canada, la SNA a réussi, après maintes pressions, à mettre sur pied le comité consultatif acadien de Parcs Canada à partir de janvier 1985. Ce comité est co-présidé par Muriel Roy. Le comité a déjà permis l'amélioration des textes officiels concernant les sites acadiens, la nomination d'un directeur régional acadien à St-Jean (Claude Degrâce), et la poursuite du dossier concernant le Monument Lefebvre. Par ailleurs, le comité continue ses presssions pour qu'il y ait des Acadiens à la direction et à la recherche de Parcs Canada d'Halifax.

Pour ce qui est des activités plus purement nationalistes, la SNA a entre autres été responsable en 1984 des Fêtes du Centenaire du drapeau acadien à Miscouche (Ile-du-Prince-Édouard). L'organisation de ces grandes fêtes a aussi permis la publication d'une brochure intitulées "Un peuple à unir".

La SNA a de plus érigé un monument commémoratif aux patriotes acadiens à Dieppe le 14 août 1986. La ville de Dieppe et un comité spécial ont participé à cette initiative.

Par ailleurs, différents colloques sur l'éducation et les relations Québec-Acadie ont été organisés en 1981 et 1983. La SNA a aussi été responsable du comité régional de l'ONF au début des années 1980. Elle s'est de plus intéressée au projet du quotidien en 1983-84, mais son engagement s'est avéré vain vu la complexité de ce dossier.

Assis: Roger Doiron, SANB, Liane Roy, SANB, Bernard Richard, SANB; debout: Jean-Marie Nadeau, SNA, sec.-gén., Claude DesRoches, FFTNL, Robert Cormier, FFTNL, Père Léger Comeau, président SNA, Théodore Thériault, SSTA, Nicole Savoie, SNA secrétaire-administrative, Yvon Samson, FANE, Dr Julius Comeau, FANE, Antoine Richard, SSTA, Aubry Cormier, SSTA.

Le 12 août 1986, après plusieurs années de gestation, la SNA mettait sur pied le comité acadien pour le tourisme en Atlantique (CATA). Ce dossier est devenu une des principales priorités de la SNA. Le but de ce comité est de développer une stratégie acadienne de développement touristique et de mettre sur pied un mécanisme de coordination, planification et promotion touristiques. Ce travail se fera en collaboration avec les associations touristiques et les organismes économiques existants. La créaition d'emplois et la valorisation de l'Acadie sont aussi des objectifs visés. Un projet de près d'un demi-million de dollars a été déposé le 17 octobre auprès des gouvernements fédéral et provinciaux de l'Atlantique. Nous sommes en mesure de croire qu'il sera reçu favorablement.

Cependant, depuis quelques années, ce sont les activités de "groupe de pression" de la SNA auprès du Conseil des premiers ministres des Maritimes et du gouvernement fédéral qui retiennent le plus l'attention. La SNA est peut-être en train de trouver ainsi la mission qui lui colle le mieux à la peau.

L'année 1985 a surtout été celle du rapprochement entre la SNA et le CPMM (Conseil des premiers ministres des Maritimes). Encore là, la faiblesse de nos moyens nous a empêché d'y apporter systématiquement des dossiers. Au moins, les contacts sont établis, et nos relations avec M. Emery Fanjoy, secrétaire du CPMM, sont des plus cordiales. Pour le moment, les dossiers du tourisme, des communications et de l'école des vétérinaires de Charlottetown sont les plus actifs.

Sur le plan fédéral, une première rencontre entre la SNA et ses associations-membres, et les caucus acadiens libéraux et conservateurs, s'est tenue en janvier 1986. Les 5, 6 et 7 novembre de cette même année, une deuxième rencontre eut lieu. Cette foi, la SNA s'entretenait officiellement avec le Premier ministre Brian Mulroney et trois de ses ministres. Cette rencontre était la première "officielle" entre le peuple acadien et un premier ministre du Canada et son gouvernement. Nous pensons avoir réussi à poser clairement les revendications légitimes du peuple acadien quant à l'égalité sur les plans politique, linguistique, économique, culturel et dans le domaine des communications.

Par ailleurs, la SNA n'a pas encore trouvé sa place comme organisation au sein de la Fédération des francophones hors Québec (FFHQ). Ce qui n'est pas remis en cause, c'est la nécessaire solidarité entre les Acadiens de l'Atlantique et les autres franco-canadiens. Nous participons pour le moment à une table de concertation des organismes nationaux. Le Forum 86 demeure donc un lieu privilégié pour clarifier les formes que doit prendre la solidarité SNA-FFHQ.

Finalement, la tenue du Forum 86 à Memramccok constitue un moment important pour l'avenir de l'Acadie et de la SNA. Avec un thème comme "Pour l'Acadie en l'an 2000", l'heure de faire ou de ne pas faire l'histoire est encore arrivée. Il est à souhaiter que les Acadiens et Acadiennes présents à ce Forum choisiront de faire l'histoire.

Jean-Marie Nadeau
Secrétaire général de la SNA

3.3 LES RELATIONS EXTÉRIEURES DE L'ACADIE

Le fondement

"L'oxygène d'un peuple". C'est par ces mots que Jacques-Yvan Morin, alors ministre des Affaires intergouvernementales du Québec, définissait les relations extérieures d'une communauté, la somme de ses échanges et de sa coopération avec les autres peuples. Cette expression exprime bien ce que représente pour l'Acadie ses relations avec les autres communautés francophones. Quoique celles-ci soient infiniment modestes par rapport à celles des pays même les plus insignifiants, les relations extérieures de l'Acadie représentent pour beaucoup des nôtres la possibilité de découvrir, pour la première fois, leur acadianité. Ils y sont en quelque sorte confrontés, la première fois qu'un Québécois, un Français ou un Belge leur demande d'expliquer ce qu'est l'Acadie, ce pays sans frontière. Ils seront alors obligés de puiser au plus profond d'eux-mêmes le sens de leur identité. Ce fut, j'en suis sûr, l'expérience de nombreux boursiers, de stagiaires et d'artistes forcés de répondre à la question inévitable.

Si simpliste que cela puisse paraître, c'est un peu la nature des relations extérieures, soit la découverte de soi par la connaissance de l'autre, notre émancipation d'un univers familier mais étouffant, l'ouverture sur le monde par le contact humain direct.

La relance

Quoique les Acadiens aient depuis longtemps entretenu des relations avec d'autres peuples, surtout par l'entremise de ses artistes (Butler, Maillet, Landry, Leblanc, etc.) et de ses entreprises commerciales, ce n'est que depuis 1968 que ces échanges prirent un caractère plus formel. C'est alors qu'une délégation de la Société nationale des Acadiens avait été reçue par le général de Gaulle. Elle s'en était revenue au pays avec, en main, toute une série de mesures d'aide et d'appui à nos efforts de développement: une aide importante à la presse qui a prolongé la vie de L'ÉVANGÉLINE encore quelques anneés, de nombreuses bourses de longues durées (maîtrise et doctorat), des stages de courte durée (cinéma, journalisme, arts, etc.), des coopérants français à nos universités, etc. Tous ces éléments d'un programme qu'on appelle aujourd'hui la "coopération France-Acadie", renouvelée à chaque année par entente mutuelle et formelle, permettent à bon nombre d'Acadiens et d'Acadiennes de respirer un peu plus librement l'air pur de leur identité.

Depuis 1968, les contacts de ce genre se sont multipliés à plusieurs niveaux. La Société nationale des Acadiens a même conclu directement avec des gouvernements, des accords de coopération tels que les ententes signées avec la France et la Communauté française de Belgique. Même si l'élan donné par de Gaulle n'a pas été maintenu quant à la quantité des échanges, la qualité semble nettement améliorée.

Quant aux gouvernements fédéral et provinciaux, au départ craintifs et même nuisibles, particulièrement le gouvernement du Nouveau-Brunswick, ils semblent maintenant mieux accepter le désir mille fois et de mille façons exprimé par les Acadiens et les Acadiennes, d'entretenir des relations directes avec les autres communautés francophones.

Autant les hésitations et les méfiances de nos gouvernements ont freiné l'évolution du domaine des relations extérieures pour l'Acadie, autant une attitude positive et facilitante de leur part pourrait être le moteur qu'il faut pour dépasser le plafond atteint.

Nos gens d'affaires réalisent plus que jamais l'importance du commerce extérieur; les pourparlers relatifs au libre-échange avec les États-Unis et les récentes mesures protectionnistes adoptées par les Américains nous brossent un tableau vif de notre dépendance de relations extérieures stables et prévisibles. Il est indéniable que nos démarches sur les plans culturel, éducationnel et social peuvent conduire à des échanges profitables dans le domaine commercial.

Conclusion

Plus d'un historien a écrit que l'Acadie a pu survivre les aléas de l'histoire parce qu'elle était isolée et repliée sur elle-même, donc à l'abri des conquêtes et des mauvaises influences. Aujourd'hui, on peut dire que l'Acadie pourra conquérir l'an 2000 dans la mesure où elle saura s'ouvrir sur le monde, saisir les opportunités que celui-ci a à lui offrir et respirer l'oxygène dont elle a besoin.

Bernard Richard

ANNEXE B

SOCIÉTÉ NATIONALE DES ACADIENS

Société Nationale des Acadiens
Le 29 octobre, 1986

De: Jean-Marie Nadeau
A: Dennis Cuffley
   Pierre Gaudet
   Fred Doucet

Messieurs,

Nous sommes heureux que la rencontre du 5 novembre 86 suscite à Ottawa beaucoup d'intérêt. Une telle rencontre, de par son ampleur et son contenu, commande parfois certains ajustements et appréhensions dont je voudrais vous faire part.

1.00 Principes de départ

Nous prenons pour acquis que le gouvernement fédéral actuel est sympathique aux Acadiens (cf discours de M. Mulroney à Moncton le 17 octobre).

Nous prenons pour acquis que vous connaissez la faiblesse relative de nos moyens pour organiser une rencontre d'une telle envergure mais aussi la force, le sérieux et la bonne volonté des intervenants acadiens en cause.

Nous réitérons notre volonté pour que cette rencontre soit marquée d'une franche collaboration et de sincérité pour le mieux être collectif et individuel des Acadiens, et in extenso, du Canada tout entier.

Nous émettons le souhait que les considérations techniques (juridiques, sémantiques,...) hautement spécialisées de même que les batailles de chiffres ne soient pas les principales marques caractéristiques d'une telle rencontre.

2.00 Loi sur les langues officielles

En révisant notre texte, nous avons constaté que certains libellés pourraient prêter à confusion. Cependant, nous croyons que l'essentiel de notre message passe, et les mots-clés sont:

- que le Canada soit réellement bilingue ce qui implique des moyens appropriés:

- que la loi des langues officielles devienne exécutoire et qu'en ce disant, des mesures de coercition y soient rattachées peu importe la forme de coercition (commissaire, commission au autres);

- qu'un développement global et effectif au bilinguisme soit implanté et que les bureaux fédéraux desservant les régions acadiennes (en Nouvelle-Écosse, retenir Argyle, Inverness, Clare, Halifax, Pomquet, Richmond et Cap-Breton) soient obligés d'offrir "des services bilingues impératifs".

À cela, nous voudrions ajouter les éléments suivants, à savoir:

- que la Loi sur les langues officielles, en plus d'être un instrument d'application des droits individuels reconnus dans la Charte, reconnaissance des droits collectifs aux communautés de langue officielle comme les Acadiens;

- que la Loi sur les langues officielles ait la primauté sur toute autre loi;

Finalement, comme la Loi sur les langues officielles touche l'ensemble des franco-canadiens, nous reconnaissons à la FFHQ une certaine propondérance pour mener à bien ce dossier vu sa présence à Ottawa, l'expertise qui l'accompagne et l'expression de la solidarité franco-canadienne qu'elle représente. En ce sens-là, nous nous appuierons principalement sur la FFHQ pour le suivi de ce dossier. A ce titre, nous invitons comme observateur seulement, M. Aurèle Thériault, directeur-général de la FFHQ pour les échanges que nous aurons autour de cette question.

Pour ce qui est des autres dossiers, veuillez les considérer comme étant du ressort exclusif de la SNA car leur contenu est avant tout acadien.

3.00 Déroulement de la rencontre

Comme nous ne savons toujours pas la forme que prendra cette rencontre (est-ce que les ministres seront ensemble, la durée de la principale rencontre et la durée de la rencontre avec le Premier Ministre, etc.), nous suggérons ce qui suit:

- pour démarrer la ou les rencontres, le Père Comeau situera, au nom de la SNA, les objectifs. Par la suite, comme vous avec reçu nos documents au préalable, nous demanderons au Premier Ministre et aux ministres de réagir à nos propositions. Le président et le secrétaire-général seront les principaux interlocuteurs de la SNA, sauf pour des questions précises concernant une province. Dès lors, le président et/ou le directeur-général (directrice-générale) provenant de cette province répondra.

4.00 Visibilité de la rencontre

Pour la SNA et les Acadiens, cette rencontre au sommet entre le peuple acadien et son gouvernement fédéral recèle une importance unique et stimulante. La logique commande donc que nous voulions le faire savoir au Canada tout entier et aux Acadiens en particulier.

Ceci étant dit, nous pensons bien faire en organisant une conférence de presse vendredi le 7 novembre à 9h30 à la pièce 130S de l'Édifice du Centre. Il va de soi que la présence d'un et/ou des deux ministres affectés à la francophonie (Honorable Valcourt et Honorable Crombie) serait fort appréciée. Nous sommes même prêts à recevoir d'autres propositions de votre part pour la tenue d'une telle conférence de presse.

Sur ce, messieurs, nous restons confiants pour la rencontre du 5 novembre 1986.

Acadiennement vôtre,

Jean-Marie Nadeau
Secrétaire-général

ns

SOCIÉTÉ NATIONALE DES ACADIENS

Le 17 octobre, 1986

Honorable Brian Mulroney
Premier Ministre
Chambre des Communes
Ottawa, Ontario
Canada

Monsieur le Premier Ministre,

Permettez-moi premièrement de vous remercier d'avoir acquiescé à nos demandes des 6 et 24 juin pour vous rencontrer.

Ce qui nous motive à vous rencontrer comme peuple acadien, c'est l'assurance et la maturité qui se dégagent chez nous sur les plans politique, économique, culturel et social. Comme communauté française de langue officielle, nous voulons contribuer, à notre façon, à l'épanouissement de ce pays tout entier.

En contrepartie, nous nous inquiétons que notre gouvernement ne comprenne pas suffisamment cette nouvelle volonté et ces nouvelles capacités à produire qui caractérisent de plus en plus le peuple acadien d'aujourd'hui et de demain.

Par ailleurs, tout en comprenant que vous ayez un agenda excessivement chargé, vous comprendrez aussi sans doute que nous aimerions passer suffisamment de temps avec vous le 5 novembre pour vous écouter et pour que vous nous écoutiez. Nous en profitons donc pour vous demander formellement de passer au moins une demi-heure avec nous.

Indépendamment du temps passé ensemble, nous tenons absolument à ce que vous nous fassiez part de votre vision du Canada en nous disant la place que vous y voyez pour les franco-canadiens et plus spécifiquement pour le peuple acadien de l'Atlantique.

CASE POSTALE 908, RUE PRINCIPALE, SHÉDIAC (N.-B.) E0A 3G0 TEL. (506) 532-9829

Nous voudrions aussi que vous répondiez à nos inquiétudes quant à la coupure de 5% de cette année dans nos fonds et aux coupures que vos fonctionnaires semblent déjà nous annoncer pour l'année prochaine.

Finalement, si votre temps vous le permet, nous vous transmettrons notre vision de ce pays et nos projets comme peuple acadien qui nous permettront d'être citoyen à part entière de ce pays.

Veuillez accepter nos sentiments les plus distingués.

Père Léger Comeau
Président

ns

P.S. Vous trouverez ci-inclus nos principales réflexions et recommandations qui feront l'objet de nos discussions du 5 novembre tant avec vous qu'avec les ministres Valcourt, Crombie et Landry. Ce document sera envoyé aussi aux ministres mentionnés.

RENCONTRE
SNA - OTTAWA

le 5 novembre 1986

16h00, Pièce 238S

Édifice du Centre

Ottawa, Ontario

SOCIÉTÉ NATIONALE DES ACADIENS

CASE POSTALE 908, RUE PRINCIPALE, SHÉDIAC (N.-B.) E0A 3G0 TEL. (506) 532-9829

1.00 VISION DU CANADA ET LOI SUR LES LANGUES OFFICIELLES

Nous reconnaissons que:

le Canada est de plus en plus bilingue

- *Loi sur les langues officielles;*
- *présence du Secrétariat d'État;*
- *Charte des droits et libertés;*
- *augmentation des classes d'immersion chez les anglophones;*
- *de plus en plus de services bilingues sur le plan fédéral.*

la francophonie pan-canadienne est de plus en plus forte

- *présence d'associations francophones nationales et provinciales de plus en plus fortes, entre autres la SNA;*
- *la tenue du Sommet de la francophonie 86 et la venue du Sommet 87 à Québec;*
- *les déclarations favorables à la francophonie du Premier Ministre Mulroney;*
- *institutions acadiennes fortes au N.-B. (écoles, université, industrie de la pêche, etc...) et évolution intéressante dans les autres provinces de l'Atlantique;*
- *l'ouverture et la solidarité plus grande du Québec par rapport aux franco-canadiens.*

le gouvernement fédéral va réviser la Loi sur les langues officielles

- *danger d'une réforme légaliste par rapport à une loi faisant la promotion d'un développement global du bilinguisme (rf. Commissaire aux langues officielles).*

Nous déplorons que:

le taux d'assimilation continue à augmenter en Acadie

- *77% à l'I.-P.-E., 32% à T.-N., 57% en N.-E. et 9% au N.-B.*

les budgets du Programme de langues officielles diminuent

- *augmentation moindre que l'ensemble du budget depuis 10 ans;*
- *coupures annoncées pour l'an prochain;*
- *annuellement la SNA est menacée de réduction substantielle si ce n'est complète de son budget.*

la loi sur les langues officielles soit faible et n'ait pas été appliquée équitablement et qu'en conséquence son interaction avec la charte en soit affaiblie

- *caractère déclaratoire de la loi beaucoup plus qu'exécutoire;*
- *faiblesses de pouvoirs du commissaire aux langues officielles;*
- *jugement de la Cour Suprême nous donnant droit d'être entendus en cour sans l'assurance d'être compris dans notre langue;*
- *les services bilingues dans les ministères fédéraux tardent à venir dans les provinces de la N.-E., I.-P.-E. et T.-N. et en certains points au N.-B. et quand ils sont là, ils ne sont pas toujours visibles.*

les attitudes des anglophones par rapport aux francophones évoluent lentement et qu'aucun ministre anglophone, à notre connaissance, n'ait fait de déclaration de foi sur le caractère bilingue de ce pays

- *se référer à l'attitude des anglophones du N.-B. et du Manitoba en 85;*
- *seul M. Mulroney dans le gouvernement actuel semble croire, avec certains ministres francophones, à ce pays bilingue.*

les provinces tardent à emboîter le pas avec le fédéral en termes de bilinguisme

- *retard dans la construction des Centres scolaires-communautaires d'Halifax, de Charlottetown et La Grand'Terre.*

Nous recommandons que:

le gouvernement fédéral **déclare avec force le caractère bilingue** de ce pays et qu'il y mette en conséquence les **moyens** (budgets, programmes) pour ce faire

- *pour un Canada véritable;*
- *prise de position de ministres anglophones.*

la révision de la Loi sur les langues officielles soit l'occasion de faire une loi qui, en plus de réitérer les droits aux communautés de langues officielles déjà élaborés dans la Charte, **devienne exécutoire** beaucoup plus que déclaratoire tel qu'actuellement

- *une loi sans dents n'est pas opérante;*
- *les pressions politiques pour changer les attitudes restent aussi importantes.*

le gouvernement fédéral endosse de façon plus énergique les recommandations **du commissaire aux langues officielles** et qu'avec la révision de la Loi, il dote le commissaire d'un plus grand **pouvoir de coercition** pour l'application de ses recommandations

la révision de la **Loi sur les langues officielles** ne se limite pas à un strict maquillage légaliste mais qu'elle vise principalement à instaurer un méca-

nisme véritable de **développement global et effectif du bilinguisme**

- *création d'espace français.*

dans le cadre de l'année du Sommet de la francophonie en 87 à Québec, le gouvernement fédéral implante une **journée annuelle** *de la Fierté* **française** *ou de Promotion de la langue française à travers tout le Canada*

- *outil pour changer les attitudes;*
- *démontrer la modernité et l'internationalité de cette langue;*
- *démontrer la rentabilité économique d'une 2e langue.*

le gouvernement fédéral s'empresse, selon la Charte des droits et libertés, à **désigner des districts bilingues** *où le bilinguisme serait impératif en N.-E. (Argyle, Clare, Cap-Breton, Richmond, Halifax, Pomquet et Sydney), à l'I.-P.-E. (Région Évangéline, Prince Ouest et Charlottetown), à Terre-Neuve (Cap St-George, Labrador City - Wabush)*

comme **mode de financement** *de la SNA et des quatre associations provinciales acadiennes le gouvernement fédéral envisage la création de* **Fonds de fiducie** *pour la SNA et les associations provinciales et/ou l'attribution de fonds par* **contrat de cinq ans** *assortis de rapports annuels*

- *éliminer les insécurités dans le fonctionnement*

le gouvernement fédéral prenne l'initiative d'accélérer le processus de construction des Centres scolaires et communautaires d'Halifax, de Charlottetown et de La Grand'Terre (Terre-Neuve) en prenant principalement en charge l'infrastructure et le communautaire

- *ça coûte cher le rattrapage*

2.00 L'ACADIE INTERNATIONALISTE

Nous reconnaissons que:

l'Acadie, par la SNA est une force reconnue, appréciée, présente de plus en plus à l'extérieur

- *près de 20 ans de relations avec la France et le Québec (extérieure à l'Acadie);*
- *relations depuis moins d'une dizaine d'années avec le Jura Suisse, la Communauté française de Belgique, Louisiane, Nouvelle-Angleterre et autres Communautés ethniques de langue française du monde;*

le gouvernement fédéral, par votre ministère,
reconnaît la légitimité des actions de la SNA sur
le plan international

- attribution d'un fonds d'activités de 40 000$ depuis trois ans;
- support actif des ambassades à Paris et Bruxelles.

les actions de la SNA sur la scène internationale
rejoignent la philosophie du livre blanc de
l'Honorable Joe Clark quant à la participation des
ONG aux questions internationales

- nous apprécions cette philosophie positive et participative

les actions de la SNA sur la scène internationale
entraînent des retombées économiques sur l'Acadie
et le Canada, en plus de retombées culturelles et
artistiques

- près de 300 docteurs et maîtres ont été formés en France depuis 68;
- près de 500 français sont venus en Acadie cet été par exemple;
- dons de livres, disques et prêt d'expertises;
- l'an dernier, la SNA a fait connaître l'Acadie économique lors d'une tournée en France: l'annonce d'échanges réels pointe.

la SNA ait un réseau d'amitiés en France qui lui
permette d'entrer directement en contact avec le
pouvoir aux bénéfices de l'Acadie et du Canada

- visite de Mauroy en Acadie en 84;
- rencontres régulières de ministres et sporadiquement du Premier Ministre.

Nous déplorons que:

le Ministère des relations internationales n'ait pas
encore accepté de donner un salaire à la SNA pour
l'embauche d'un responsable des relations internationales ou encore prêter à la SNA un de ses
employés

- demandes répétées depuis 2 ans

le gouvernement fédéral n'ait pas accepté d'inviter
la SNA comme membre de la délégation canadienne au Sommet de la francophonie 86 à Paris

- demande faite

la SNA ne soit pas présente au Haut Conseil de la
francophonie

- demande faite

Nous recommandons que:

*le gouvernement fédéral nous donne les fonds
nécessaires pour l'embauche d'une personne
affectée à temps plein aux relations internationales
de la SNA ou le prêt d'une personne*
> - *indispensable de plus en plus.*

*le gouvernement fédéral invite la SNA à faire partie
de la délégation canadienne lors du Sommet de la
francophonie de Québec en 87 et aux autres
Sommets*

*le fonds d'activités internationales de la SNA passe
de 40 000$ à 60 000$ ce qui nous permettrait de
participer entre autres au comité consultatif de
l'ACCT*
> - *poursuivre le dossier des radios communautaires et de
>   discographie;*
> - *être plus présent dans les affaires de la francophonie
>   mondiale.*

*le gouvernement fédéral étudie la possibilité d'assu-
rer une permanence acadienne à Paris afin de
nous permettre de faire face à la multiplication des
dossiers et de mettre à contribution notre réseau de
contacts pour le Canada et l'Acadie
nécessairement*

*le gouvernement fédéral renforce ses moyens à
l'intérieur de ses ambassades et consulats (pays
francophones principalement) pour faire connaître
l'Acadie culturelle, artistique, scientifique et
économique*

*le gouvernement fédéral appuie une candidature
acadienne au Haut Conseil de la francophonie*

3.00 L'ACADIE ÉCONOMIQUE ET TOURISTIQUE

Nous reconnaissons que:

l'infrastructure économique s'améliore en Acadie
> - *petites entreprises dans le nord-ouest du N.-B.;*
> - *crabe et tourbe dans la péninsule acadienne;*
> - *homard et hareng dans le sud-est du N.-B.;*
> - *poissons de fond en N.-E.;*
> - *mouvement coopératif à l'I.-P.-E.;*
> - *multiplication des organismes économiques tels les com-
>   missions industrielles, les conseils économiques (N.-B.,
>   I.-P.-E.), la Chambre de Commerce de Clare et les
>   "Incubator Mall" en N.-E.*

le gouvernement fédéral essaie des initiatives
nouvelles

- *programme atlantique des perspectives d'achats;*
- *Entreprise Atlantique;*
- *Focus sur l'Atlantique (3-4 septembre)*
- *dernier Discours du trône (Agence de développement atlantique)*

un peuple, aussi grand soit il, ne peut pas vivre que de culture et d'histoire

- *l'épanouissement économique nécessaire*

l'Acadie en général est de plus en plus compétente entre autres sur le plan économique grâce à l'Université de Moncton et à l'Université Sainte-Anne

- *meilleure capacité de gérer nos propres affaires sur le plan économique*

Nous déplorons que:

la situation économique en Acadie, comme en Atlantique en général, reste toujours précaire

- *taux de chômage et d'assistance sociale élevés;*
- *travail saisonnier*

les programmes fédéraux de création d'emplois créent beaucoup plus la dépendance de revenus que la permanence d'emplois

- *Développement de l'emploi;*
- *Défis et autres.*

les programmes économiques du fédéral ne soient pas adaptés aux besoins de l'Atlantique

- *la mise de fonds préalable de 250 000$ d'Entreprise Atlantique par exemple*

Nous recommandons que:

P.S. *Comme nous ne sommes pas avant tout un organisme économique, nous voudrions introduire un principe général qui pourrait s'appliquer à tous les ministères tant à vocation économique que sociale ou autres.*

*quand le gouvernement fédéral introduit de **nouveaux programmes** de développement économique ou social pour l'Acadie, que la **conception** de ses programmes se fasse en **consultation** avec des organismes acadiens à caractère économique et social et que leur **implantation** s'accompagne d'un pouvoir de **décision au niveau régional***

*le gouvernement écoute de façon plus attentive les **recommandations des organismes économiques acadiens***

- *CENB*

- *CADE*
- *Fédération des Caisses Populaires Acadiennes*
- *Assomption Cie Mutuelle d'Assurance Vie*
- *UPM*
- *autres*

de façon plus particulière, le gouvernement fédéral par le Ministre du Tourisme et de la Petite Entreprise, le Ministère de l'Immigration et de l'Emploi et/ou MEIR **appuie** *le plus rapidement possible* **notre projet "Pour un tourisme acadien en Atlantique (ci-inclus)"**

4.00 L'ACADIE PEUPLE

Il est reconnu que:
les Acadiens constituent "un peuple à part entière"
(comme dirait la Sagouine):

- de par la **fierté d'avoir été les premiers colons blancs en terre d'Amérique** (1604);
- de par notre **provenance** prépondérante de certaines régions de France (Poitou-Charente, Vendée et autres);
- de par notre **histoire tragique** (déportation de 1755);
- de par le fait que nous nous sommes dotés de **symboles** acceptés avec enthousiasme par la communauté à savoir un drapeau, une fête nationale et un hymne national de plus de 100 ans;
- de par notre **dynamisme culturel et artistique** (Antonine Maillet, Jacques Savoie, Paul LeBlanc, Edith Butler, Ronald Bourgeois, Angèle Arsenault, Viola Léger et bien d'autres) qui font que l'Acadie est connue et reconnue;
- de par notre **capacité et volonté de survivance;**
- de par notre persistance à nous **identifier** encore aujourd'hui comme peuple même chez les 2.5 millions d'Acadiens épar pillés un peu partout aux Amériques et en Europe.
- de par la force de nos institutions acadiennes telles les Caisses Populaires, la Compagnie Assomption, l'Université Sainte-Anne et l'Université de Moncton, les hebdos, les écoles, les corporations professionnelles francophones et autres;
- de par notre participation plus active aux différents niveaux de pouvoir politique tels la présence d'un ministre fédéral, de ministres provinciaux, de maires acadiens, de députés, de sénateurs et autres;
- de par le fait que la France, le Québec, la Communauté française de Belgique, les autres communautés ethniques de langue française du monde et le ministère des relations internationales nous reconnaissent cette identité de peuple.

Cette volonté de nous "singulariser" nous-mêmes n'est plus une façon de nous replier sur nous-mêmes pour puiser dans nos forces intérieures pour survivre. C'est une façon de nous ouvrir sur le monde en lui offrant ce que nous avons de plus grand à savoir "notre différence, notre spécificité" et notre ressemblance dans l'égalité.

Nous recommandons que:

le gouvernement fédéral reconnaisse politiquement la réalité du peuple acadien

5.00 L'ACADIE: POINTS DIVERS

5.10 MONUMENT LEFEBVRE

Octroi d'au moins 1 million de dollars pour restaurer convenablement le **Monument Lefebvre** officielle-ment déclaré en hommage à la **survivance des Acadiens**

- dossier hautement politique qui traîne depuis 3 ans;
- état actuel est un affront au peuple acadien;
- proposition actuelle d'y mettre 500 000$ seulement est inacceptable;
- octroi d'un million de dollars serait un geste très populaire où intérêts du peuple acadien seraient respectés.

5.20 RADIOS COMMUNAUTAIRES

Demande que les propositions du rapport **Sauvageau-Caplan** soient **rapidement implantées** en ce qui concerne les radios communautaires

- chapitre 19, pages 531 à 550

Que le gouvernement fédéral reconnaisse comme priorité politique le **rattrapage** nécessaire en termes de **communication** pour les Acadiens

Que le gouvernement fédéral accepte tels que le demandent CIRCA[1] et la FJCF[2] depuis plus d'un an la prise en charge de **50% des frais d'immobilisa-tion** des radios communautaires en Acadie et **50% des frais d'opération pour les trois (3) premières années**

---

[1]CIRCA: Comité d'implantation des radios communautaires en Acadie
[2]FJCA: Fédération des jeunes canadiens français

- *projets imminents: radio Péninsule (N.-B.)*
                    radio des Montagnes (N.-B.)
                    radio Clare (N.-E.)
      radio Labrador (T.-N.)
- **contributions fédérales à ces projets:**
  a) immobilisations (87-88):
     - **802 000$ du Ministère des communications;**
  b) Fonds d'opération:

        87-88: MEIC 310 000$
               SEC   62 000$
                    372 000$

        88-89: MEIC 358 000$
               SEC   92 000$
                    450 000$

        89-90: MEIC 268 000$
               SEC   92 000$
                    360 000$

- *projets à venir (budgets non prévus):*
  Fredericton (N.-B.)
  St-Jean (N.-B.)
  Cap St-George (T.-N.)
  I.-P.-E.
  Cap-Breton (N.-E.)
  Campbellton (N.-B.)
  CKUM (région de Moncton, N.-B.)

*Que le Ministère des Communications apporte un appui majeur aux radios communautaires **en termes de disques et cassettes en français***

5.30 RADIO-CANADA

Que le gouvernement fédéral élimine tout doute sur la possibilité de sabrer un autre 50 millions de dollars dans Radio-Canada

*Que le **studio d'Halifax** dernièrement ouvert le 14 octobre 86 demeure **intouchable** et assure un service adéquat à Terre-Neuve*

*Que le gouvernement fédéral permette au contraire à Radio-Canada Atlantique (en le soutenant financièrement) de faire **de Moncton un centre de production "acadien"** (tel que recommandé par le rapport Sauvageau-Caplan) et à **Terre-Neuve de se mettre sur les mêmes longueurs d'ondes que l'Acadie des Maritimes** (et non sur Montréal)*

Que le gouvernement fédéral s'assure d'une présence acadienne au sein du Conseil d'administration de Radio-Canada

5.40 PARCS CANADA

Vu l'absence presque totale d'Acadiens au niveau des cadres et de la recherche à Parcs Canada Atlantique, il faudra à court terme **des mesures énergiques** pour corriger cette situation telle que le recommande le Comité consultatif acadien de Parcs Canada depuis près de deux ans

- plus de 70% des lieux, sites, parcs de Parcs Canada sont à contenu acadien

En ce sens-là, il devient aussi impératif que le nouveau directeur au Parc National de **Grand Pré** soit aussi un **Acadien**

- en remplacement de M. Claude DeGrâce

5.50 RENCONTRE SNA - OTTAWA À TOUS LES DEUX ANS

Vu que cette rencontre d'aujourd'hui est une première et vu son importance, la SNA recommande qu'une telle **rencontre** entre le peuple acadien (représenté par la SNA) et le premier ministre canadien et son gouvernement se tienne **à tous les deux ans** de façon formelle pour faire le point sur l'épanouissement du peuple acadien.

Les relations SNA-FFHQ

Protocole d'entente
Champs d'intervention
Proposition de la SNA à la FFHQ

Le contentieux SNA-FFHQ a probablement été le dossier qui s'est le plus clairifié lors du Forum 86. Depuis longtemps, nous essayons de produire une politique définissant les relations entre la SNA et la FFHQ et les responsabilités de chacune. Il est suggéré, comme éléments de cette politique, ce qui suit:

a) Acadie et francophonie canadienne

Les associations acadiennes membres de la FFHQ sont les quatre associations provinciales de la région de l'Atlantique. Il va de soi que ces quatre associations provinciales constituent l'essence même de la SNA.

La présence conjuguée des quatre associations acadiennes (SANB, SSTA, FANE, FFTNL) à la FFHQ constitue, en bloc, la représentation officielle de l'Acadie à la FFHQ. Cette identité se concrétise par la consultation permanente entre les quatre associations préalablement à chaque vote important.

Les quatre associations-membres à la fois de la FFHQ et de la SNA pourront, selon les cas, inviter la SNA à assister comme observateur à certaines délibérations du conseil d'administration de la FFHQ et vice-versa. (Un exemple de cas pourrait être l'engagement de la SNA à l'application et la réalisation d'une décision prise par la FFHQ).

Le fait que la SNA n'est pas membre à part entière de la FFHQ ne lui enlève pas la prérogative d'assister à la table de concertation nationale des organismes francophones au pays.

b) Les responsabilités SNA-FFHQ par rapport à l'Acadie

La SNA est le lieu commun acadien de concertation et l'outil de représentation pour tous les dossiers jugés exclusifs aux Acadiens de l'Atlantique et ayant une portée régionale (CPMM), nationale (rencontre du caucus de la région de l'Atlantique) et internationale.

94

La FFHQ est le lieu commun canadien de concertation entre les francophones et Acadiens du pays, et l'outil de représentation pour tous les dossiers des francophones et Acadiens du pays, identifiés par son assemblée générale. (Mentionnons, entre autres, la Loi sur les langues officielles, les négociations constitutionnelles, l'opération rattrapage pour le financement des groupes francophones et acadiens, etc.).

Cependant, tant la SNA que la FFHQ, peut faire appel à un appui et/ou une collaboration explicite de l'autre partenaire pour mener à bien un dossier selon leur choix. (Par exemple, la FFHQ, à la demande de la SNA, appuie celle-ci dans le développement d'une stratégie touristique acadienne ou, la SNA, à la demande de la FFHQ, assiste à une réunion organisée par la FFHQ avec un ministre, etc.).

c) Échanges

À des fins d'information mutuelle, la FFHQ et la SNA s'échangent systématiquement leurs documents, leurs procès-verbaux, leurs convocations à des réunions, etc., afin de rendre dynamiques ces collaborations entre les deux instances, pour le mieux-être des Acadiens de l'Atlantique.

SNA
Halifax, le 6 février 1987

Au niveau international
-SNA et relations extérieures

Ententes avec la France, la Communauté francophone de Belgique et le Québec.

FRANCE
Bourses de longue durée (14)
1) Direction artistique (2)
2) Direction des communications (2)
3) Direction du français (5)
4) Direction scientifique (au moins 5)

Bourses de stages de courte durée (42)
1) Cinéma (2)
2) Audio-visuel (5)
3) Artistique (5)
4) Journalisme (3)
5) Socio-culturel (7)
6) Education (23)
7) Scientifique (indéterminé)

Autres détails de l'entente
- envoi de disques français
- exposition de livres français
- autres
BELGIQUE (La Communauté francophone de Belgique- CFB)
Bourses de stages de courte durée (8)
1) Culture, formation, santé et affaires sociales (3)
2) Recherche littéraire (1)
3) Langue et littérature françaises (4)

Autres détails de l'entente
- acceuil d'un éditeur acadien à la Foire du Livre de Bruxelles
- envoi de livres acadiens et belges
- accueil de deux experts belges en vue de faire des échanges de jeunes
- la SNA et la CFB organiseront un concours sur la connaissance mutuelle
de leurs communautés respectives
- la CFB acceuillera un expert acadien pour faire connaître à sa population
les aspects culturels et socio-économiques de l'Acadie.

QUÉBEC
- quatre (4) bourses de doctorat ou maîtrise
- volonté d'établir une représentation de l'Acadie au Québec
- projet en diffusion de matériel français et distribution de disques et
cassettes pour les radios communautaires.

FONDATION FRANCO ACADIENNE POUR LA JEUNNESSE
- stages acadiens et français (une trentaine pour chaque partie)

ANNEXE C

Les délégués et invités

Délégués
SOCIÉTÉ NATIONALE DES ACADIENS
Conseil d'administration
1986-1987

Nouvelle-Écosse

Père Léger Comeau   Président SNA
Yvon Samson   Directeur de la FANE
Dr. Julius Comeau

Nouveau-Brunswick

Roger Doiron 1er vice-président SNA
Liane Roy Directrice générale SANB
Bernard Richard

Ile-du-Prince-Édouard
Antoine Richard 2e vice-président SNA
Théo Thériault Directeur SSTA
Aubrey Cormier

Terre-Neuve
Robert Cormier
Paul Charbonneau Directeur FFTNL

DÉLÉGUÉS DU NOUVEAU-BRUNSWICK

Patricia Cyr
Pauline Pelletier
Maurice Saulnier
Jean-Paul Savoie
Colette Haché
Marthe Landry
Manon Richard Activités-Jeunesse

Yvonne McLaughlin
Paul Landry CPDC
Germain Blanchard
Lise Ouellette Fédération des agriculteurs
Omer Brun
Jean Hébert
Gilles Thériault U.P.M.
Gastien Godin A.P.P.A.
Yvon Roy Syndicat du personnel non-enseignant
Léopold Chiasson
Roger Blanchard Centre d'apprentissage l'Éveil
Jules Boudreau
Euclide LeBouthillier
Jean-Guy Vienneau CEPS Université de Moncton
Théo Gagnon
Fernand Rioux Hôpital de l'Enfant Jésus
Marcelle Dugas Service aux handicapés visuels
Dianne Levesque Service aux handicapés visuels
Yvon Fontaine Vice-doyen, Faculté de Droit, U de M.
Rino Volpé Assomption Cie-Mutuelle d'Assurance-Vie
Diane Haché, étudiante

DÉLÉGUES DE LA NOUVELLE-ÉCOSSE
Dolores Ann d'Entremont
Peter Boudreau
Yvonne LeBlanc
Stanley Boudreau
Sandra Deveau
Dave LeBlanc Directeur administratif
Rhéal Poirier FANE Directeur administratif
Angèle Larade
May Bouchard
Jean-Guy Deveau
Michel Légère
Blanche Cottreau
David Thibeau
Claudette Chiasson
Annie Rose Deveau
Joséphine Aucoin Driscoll
André Cyr FANE
Laurent Lavoie
Henriette Aucoin FANE
Roseline LeBlanc

Anne Quesnel
Ben Samson
Françoise Samson

98

DÉLÉGUÉS DE L'ILE-DU-PRINCE-ÉDOUARD
Elise Arsenault SSTA
Alvina Bernard
Edouard Blanchard
Léonard Gallant Caisse Populaire Évangéline
Ulric Poirier
Maurice X. Gallant
Francis Arsenault La Voix Acadienne
Francis Blanchard
J. Edmond Arsenault
Wilfred Arsenault
Jeanne-Mance Arsenault
Cécile Gallant
Anne-Marie Perry
Juanita Arsenault
Martine Arsenault

DÉLÉGUÉS DE TERRE-NEUVE

Andrée Thomas
Jocelyne Comeau
Ali Chiasson
Robert Cormier
Cornelius Barter
Aloysius Olivier
Claude Estopey Le Carrefour francophone
Howard Bourgeois
Idelta Cyr
Charlie Barry

INVITÉS

Michel Fichet
Philippe Rossillon
Sylvie Rétana
Les Amitiés acadiennes

Jean Hubert
Raymond Morrisset
Conseil de la vie Française
en Amérique

Gérard Finn
Programme de promotion
 aux langues officielles

Robert Keating
Richard Nolin
Bureau du Québec

Michel Laffineur
Délégation Wallonie-
Bruxelles au Québec

Aldéa Landry

Fernand Landry

Jacques F. Lapointe

Guy LeBlanc, ministre

Jean-Claude LeBlanc
Commissariat aux
 langues officielles

Jean-Guy Rioux
ACELF

Euclide Daigle

Omer Léger, ministre
Ministère du tourisme,
 des loisirs et du patrimoine

Monique Laurin
FFHQ

Claude Mallette

Bernard Poirier
Conseil de Gestion

Jean-Pierre McLaughlin
FJCF

Jean-Pierre Ouellet, ministre
Ministère de l'éducation

Yves Melanson
CODOFIL

Ghislain Michaud
Activités-Jeunesse

Alain Sicé

Robert Trocmé
Consulat de France

James Thériault

Marcel Duages
Conseil de Gestion

Léon Thériault
Faculté des Arts, U. de M.

Alain Bryar

Hon. Bernard Valcourt
Ministre d'État à la Petite
et moyenne entreprise
et au Tourisme

Louis Philippe Blanchard
Recteur, U. de M.

Roger Ouellet
Secrétariat du
Conseil des Ministres

Ferdinand Prémont
Société St-Jean Baptiste

Jeanne Renaud
Commissaire
 aux langues officielles

Emery Robichaud

Fernand Robichaud
Député

Muriel K. Roy
Centre d'études
acadiennes, U. de M.

Alex Savoie

Debbie Chiasson
Fédération des
Dames d'Acadie

Jean Cadieux
Faculté d'administration,
U. de M.

Guy Landry
Chef du cabinet de Jean Gauvin

Monique Collette
Secrétariat d'État

Gérald Comeau
Député

Jean-Denis Comeau
Aviseur aux affaires
 acadiennes, N.-É.

Clarence Cormier
Député

Monique Cousineau
Secrétariat d'État

Guy Cyr
Guy Savoie
Anna Rail
Secrétariat d'État

Robert Desjardins
Conseil du Trésor

Armor Dufour
Mouvement national
québécois

Andrée Levesque
CPMM

Jean Nadeau
CENB

Emery Melanson
Banque Nationale
du Canada

Père Anselme Chiasson
Les Pères Capucins

Frank McKenna
Chef de l'oppostion
Parti libéral

Francis McGuire

Pierre Juneau
Secrétariat aux affaires
intergouvernementales
Gouvernement du Québec

Roland Beaulieu
Cabinet du chef
de l'opposition

2 Panelistes et intervenants officiels

DISCOURS D'OUVERTURE
Père Léger Comeau

MANDAT DE LA SOCIÉTÉ
NATIONALE DES ACADIENS
Jean-Maurice Simard
Bernard Richard
Yvon Samson
Pierre Arsenault

STRUCTURE ET
FONCTIONNEMENT
Aurèle Thériault
Martin Légère
Irène Guérette
Melvin Gallant

FINANCEMENT
Gilbert Doucet
Richard Savoie
Edgar Gallant

BANQUET
Bernard Valcourt

CÉLÉBRATION RELIGIEUSE
Père Anselme Chiasson

notes biographiques

Pierre Arsenault
Avocat et professeur à l'École de droit de l'Université de Moncton. Connu pour son rôle comme président de la Société St Thomas d'Aquin de l'Ile-du-Prince-Édouard, pour les nombreux dossiers menés au nom des francophones de l'Ile et pour sa participation au sein de toutes les institutions nationalistes de l'Atlantique.

Gilbert Doucet
Président-directeur général de l'Assomption Mutuelle-Vie. Actif dans tous les mouvements nationalistes depuis de très nombreuses années, il a siégé aux conseils d'administration de la SNA, de la SANB, et est actuellement membre de la Commission d'enseignement supérieur des provinces Maritimes, du Conseil d'administration du Conseil de la Vie française en Amérique ainsi que des conseils d'administration du Matin et des Amis du Matin. Il est actuellement co-président du comité du Centre des Arts de Moncton.

Edgar Gallant
Acadien de l'Ile-du-Prince-Édouard. Ex-président de la Commission de la Fonction publique du Canada ainsi que de la Commision de la Capitale nationale, il fut aparavant secrétaire du Conseil des premiers ministres des Maritimes.

Melvin Gallant
Originaire de l'Ile-du-Prince-Édouard. Professeur de lettres à l'Université de Moncton. Auteur d'une douzaine de livres et d'une trentaine d'articles. Président fondateur des Éditions d'Acadie et de l'Association des écrivains acadiens. Co-fondateur de la revue d'analyse politique Égalité.

Irène Guérette
Bien connue des gens de la région du sud-est du Nouveau-Brunswick surtout pour son travail à titre d'agent de développement communautaire pour la Société des Acadiens du Nouveau-Brunswick. Elle oeuvra à l'établissement d'une communauté française à St-Jean, c'est-à-dire à la création, entre autres, d'un conseil scolaire, d'un centre scolaire-communautaire français ainsi que d'une paroisse française.
Elle fut membre du Bureau des gouverneurs de l'Université de Moncton, co-présidente du comité consultatif sur les langues officielles au Nouveau-Brunswick et est actuellement membre du Bureau de direction de la compagnie l'Assomption et consultante en organisation communautaire.

Martin Légère

Ex-président du Conseil canadien de la coopération et ex-directeur général de la Fédération des Caisses populaires acadiennes, ainsi que du Conseil acadien de la coopération, il est actuellement directeur général de la Fondation culturelle acadienne, membre du Conseil d'administration du Conseil de la vie française en Amérique et est toujours actif à Caraquet, N.-B., au sein de mouvements et organismes locaux tels que la Chambre de commerce, Villa Beauséjour, etc. Grand pionnier et leader acadien, il reçu de la part de diverses institutions acadiennes, des honneurs et marques de reconnaissance pour le travail magistral qu'il a effectué en Acadie.

Yvon Samson

Acadien de la Nouvelle-Écosse, il fut employé du Secrétariat d'État à Ottawa avant de revenir en Acadie assumer les fonctions de directeur général de la Fédération acadienne de la Nouvelle-Écosse.

Richard Savoie

Actuellement directeur général de la Fédération des Caisses populaires acadiennes, de la Société d'assurance des caisses populaires acadiennes et du Conseil acadien de la coopération, président et directeur général de l'Institut de coopération acadien, il est membre de plusieurs conseils d'administration surtout dans le domaine de la coopération.

Jean-Maurice Simard

Principal porte-parole francophone du gouvernement conservateur sous Richard Hatfield, au N.-B., il n'a jamais tu ses allégeances envers la francophonie et ses institutions. Il a toujours participé de façon extrêmement active aux délibérations des associations nationales et contribué à la reconnaissance et à l'avancement politiques des revendications acadiennes au N.-B. Il est actuellement sénateur à Ottawa.

Aurèle Thériault

Connu surtout pour son rôle de directeur général de la Société des Acadiens du Nouveau-Brunswick, il est maintenant à Ottawa où il occupe le poste de directeur général de la Fédération des francophones hors Québec.

L'Honorable Bernard Valcourt

Originaire de St-Quentin au Nouveau-Brunswick, avocat de profession, il fut élu pour la première fois à la Chambre des communes aux élections de 1982, comme représentant de la circonscription de Madawaska-Victoria, puis devint successivement secrétaire parlementaire du ministre d'État chargé des Sciences et de la technologie et secrétaire parlementaire du ministre au Revenu national. Il est actuellement ministre à la Petite entreprise et au Tourisme.

M. Bernard Valcourt, ministre d'état à la Petite entreprise et au Tourisme

**Notes d'allocution
de M. Bernard Valcourt
Ministre d'État à la Petite entreprise et au Tourisme
FORUM 1986
Société nationale des Acadiens
Memramcook (Nouveau-Brunswick)
Le 15 novembre 1986**

Mes chers amis acadiens,
Mes chères amies acadiennes,
   Mon premier mot est pour vous dire ma joie et ma satisfaction de me trouver parmi vous et pour exprimer ma reconnaissance aux organisateurs de ce Forum de m'avoir donné le privilège de prendre la parole devant un tel auditoire.
   En effet, en voyant le caractère tout à fait imposant de l'assistance formée ce soir par les représentants des communautés acadiennes des quatre provinces de l'Atlantique, et en pensant à la qualité de chacun de vous, votre invitation prend un relief particulier.
   Il s'agit pour moi d'une deuxième rencontre avec les forces vives de l'Acadie en moins de dix jours. Comme vous le savez, la Colline parlementaire a reçu la visite, le 5 novembre dernier, d'une délégation composée des présidents et des directeurs généraux de la SNA, de la SANB, de la FANE, de la SSTA et de la Fédération des Francophones de Terre-Neuve et du Labrador. J'ai évidemment assisté à cette rencontre historique, en compagnie de mes collègues David Crombie, secrétaire d'État, et Monique Landry, ministre d'État aux Relations extérieures. Je puis vous assurer que nous avons pris bonne note des revendications de la SNA et de ses associations-membres et ce d'autant plus que nous savons à quel point le Premier ministre attache d'importance aux destinées des communautés francophones du pays, et en particulier à la communauté acadienne.
   M. Mulroney est d'ailleurs venu s'enquérir en personne du message que la SNA est venu porter à Ottawa, ce qui démontre bien, à mes yeux, qu'il n'a pas pris votre requête à la légère, pas plus que le sort de ceux que vous représentez.

Après avoir assisté à ce que la SNA qualifie de "une de ses missions les plus importantes de son histoire", voilà que nous sommes conviés à ce Forum qui a pour thème "Pour une Acadie de l'an 2000". On m'a informé du fait que ce Forum se veut avant tout une réunion de consultation qui vise à faire le plein d'idées sur les attentes et les perceptions du peuple acadien quant à son avenir. Je sais que la SNA entend en dégager les grandes orientations et modifier en conséquences sa mission et son action.

Je me dois toutefois de noter, en regardant le programme de ces deux jours, que ce n'est pas tellement de l'avenir de l'Acadie dont vous traîterez, mais bien de l'avenir de la SNA. Faut-il établir à priori que les deux sont indissociables?

Au risque de décevoir certains d'entre vous, je me garderai cependant de porter des jugements sur ce que devrait être la SNA de demain. Ce n'est pas à moi de dire quelle forme devrait prendre le mandant, la structure, le fonctionnement interne et le financement de notre organisme national.

J'estime plutôt que c'est à vous de donner réponse à ces questions. Je crois qu'il est plus important pour moi -et pour vous- de m'informer de vos délibérations et de vous écouter. J'aurai sûrement l'occasion, dans les prochaines semaines, de m'asseoir avec les dirigeants de la SNA pour dresser le bilan de cette rencontre. Nous verrons alors de quelle façon je peux prêter mon concours à vos projets d'avenir.

Ceci dit, je ne suis pas pour autant insipide, incolore et inodore. Je compte bien, dans les prochaines minutes, vous faire part des défis que j'entrevois pour l'avenir, défis que nous devrons relever ensemble, si nous voulons assurer le développement de nos communautés et la pérennité du peuple acadien.

Je ne saurais me livrer à cet exercice sans au préalable me situer dans le débat qui nous réunit aujourd'hui, sans vous donner une idée de la place que j'occupe au sein du gouvernement fédéral, et de celle que j'entends occuper auprès de vous.

En m'invitant à accéder au Cabinet, le Premier ministre Mulroney ne m'a pas demandé de devenir un chevalier errant du moyen âge, à la recherche d'actions généreuses et glorieuses en faveur de la cause acadienne. Ceux qui me connaissent savent que je verse plutôt dans le réalisme et le pragmatisme. Certes, je suis un Acadien, et je suis ce qu'on peut appeler "un ministre acadien". L'éditorialiste du journal "Le Matin", dans son édition du 22 octobre dernier, me décrivait comme un homme "résolument fier de ses racines". Il ne s'est pas trompé. Mais comment cela doit-il être interprété?

Ce que je dois vous dire, c'est que le Secrétariat d'État, M. Crombie, m'a demandé de l'assister, de me tenir auprès de lui pour l'aider dans les dossiers touchant les langues officielles et la francophonie au

Canada. Je puis vous assurer que j'ai acceuilli cette requête avec enthousiasme, et nous travaillons de concert à ces dossiers. Nos actions s'inscrivent dans une dynamique qui englobe aussi plusieurs membres de notre caucus, y compris, en premier lieu, le Premier ministre lui-même.

Si je ne suis pas un sauveur, et vous comprendrez je l'espère le sens de mes propos, je suis cependant très sensible aux besoins et aux revendications de la communauté acadienne du Nouveau-Brunswick, des provinces atlantiques, et des communautés francophones partout où elles se trouvent au Canada. Ce soir, je viens vous offrir ma collaboration, comme je l'ai offerte à mon collègue M. Crombie. Je souhaite par conséquent que vous me considériez comme un interlocuteur privilégié du peuple acadien auprès du gouvernement fédéral, un allié sincère et fidèle, en gardant cependant à l'esprit que je n'ai aucunement l'intention de me substituer au Secrétariat d'État, de qui relève en premier lieu les dossiers linguistiques.

Depuis cinq mois, j'ai pu me familiariser avec les dossiers du Ministère de l'État qui m'a été confié et avec les fonctions qui en découlent. La tâche est exaltante. Je suis appelé à jouer un rôle dans les entreprises de renouveau économique et de réconciliation nationale, thèmes qui sont chers, comme vous le savez, à notre gouvernement. J'ai la chance d'être appuyé dans mon travail par une équipe jeune et dynamique.

Pour bien m'acquitter de mes engagements envers les communautés acadiennes et francophones du pays, j'ai la semaine dernière ajouté une autre personne à mon cabinet ministériel. J'ai l'intention d'établir des liens solides et de maintenir un dialogue constant avec les organismes voués à la défense et à la promotion des intérêts acadiens et francophones. Sur ce plan, je crois pouvoir affirmer que la rencontre du 5 novembre s'est avérée fructueuse.

Déjà, je travaille, nous travaillons ensemble pour l'an 2000, pour une Acadie en l'an 2000. Nul besoin pour ce faire de passer pour un futuriste: cette étape est à nos portes, et l'avenir commence aujourd'hui.

Si nous voulons que les communautés acadiennes franchissent sans embûches le cap du 21e siècle, il faudrait peut-être commencer par croire en notre avenir, et se donner des objectifs en conséquence. Il nous faudra refuser la fatalité qui stérilise nos innombrables talents et sape nos capacités de création. Il nous faudra unir nos efforts, et se donner un élément essentiel: la confiance en nous-mêmes.

Ça, ça commence par changer l'image que l'on se donne de nous. L'Acadie devra se débarrasser de thèmes qui ne passent plus la rampe, qui ne rallient presque plus personne, et surtout pas la jeunesse. Je veux faire référence à l'apologie de la misère, à l'éloge de la petitesse, au fait que trop souvent on montre en épingle les aléas que l'histoire nous a infligés.

Nous savons qu'il ne s'agit pas de "vicissitudes indubitablement aléatoires". On ne peut balayer tout cela du revers de la main. Mais dans le contexte canadien, dans le contexte planétaire, en fait, nous ne pouvons nous permettre de compter que sur ces seules forces de rassemblement. La modernité -eh oui- celle qui bouleverse nos structures économiques, notre tissu social, celle qui fascine notre jeunesse, nous oblige à répondre à de nouvelles exigences. Y compris celle de donner de nous une image résolument dynamique, une image qui soit mieux adaptée à la réalité actuelle: une image qui met l'accent sur la réussite plutôt que sur la fatalité.

Quand je pense à l'Acadie de demain, je pense en premier lieu à nos compatriotes qui ont réussi. Constatons à quel point nous sommes talentueux et talentueuses. Antonine Maillet, qui a reçu le plus grand honneur que l'on puisse faire à une écrivaine de langue française, le prix Goncourt; Édith Butler, qui fait fureur à l'Olympia, et dont la carrière est devenue si prestigieuse que le Québec cherche à se l'approprier; Anthony Clavet, qui crée l'image de grands artistes comme David Bowie; Paul LeBlanc, gagnant d'un "Génie" de l'Académie du cinéma canadien, puis d'un Oscar, qu'il a reçu devant 30 millions de téléspectateurs, pour son travail magistral dans le film "Amadéus"; Rose-Marie Landry, soprano de réputation internationale, qui se produit sur les plus grandes scènes de l'Europe, de l'Asie, de l'Amérique du Sud; Ron Turcotte, vainqueur de la Triple couronne sur "Secrétariat"; Jean-Yves Thériault, champion mondial de kick-boxing; Gérald Laforest, premier acadien à siéger à la Cour Suprême du Canada.

Bien sûr, il est toujours bon de se rappeler nos réalisations, même si parfois elles sont individuelles, même si elles se produisent ailleurs. Cependant, ces succès rejaillissent sur nos communautés. Ils contribuent à inscrire notre peuple dans l'histoire contemporaine. Ils ouvrent les portes au cheminement des nôtres vers le 21e siècle, et insufflent ce sens de dignité dont nous avons besoin.

Ces gens nous ont chacun(e) donné une leçon. Dans leurs domaines respectifs, ils ont démontré, non seulememt aux Acadiens, mais aussi au genre humain, qu'il est possible de pousser toujours plus loin les frontières de l'excellence et de la perfection. Si Napoléon a dit "impossible n'est pas Français", ces individus nous ont fait comprendre que "impossible n'est pas Acadien". Et si rien n'est impossible sur le plan individuel, pourquoi devrions-nous nous donner des limites sur le plan collectif?

S'il ne devait pas y avoir de limites, il existe toutefois des conditions à remplir pour assurer votre avenir.

La première considération, c'est de répondre au défi économique. Notre croissance économique est insuffisante, et ce n'est pas un secret pour personne, les problèmes des provinces atlantiques sont plus difficiles et plus pressants que ceux des autres régions. Je sais aussi que les régions les plus démunies de l'Atlantique sont souvent les régions les plus françaises. Notre handicap en ce sens est double: nous seulement devons-nous prouver que nous avons, tout autant que les membres des communautés anglophones, la compétence et les qualités nécessaires à la réussite, mais nous devons aussi le faire dans le contexte de régions économiquement défavorisées.

Là encore, autant dans le domaine économique que dans celui de la culture, des arts ou des sports, nous avons des gens qui sont des précurseurs. Je pense à Basile Roussel, dont l'entreprise a remporté, en 1983 et 1984, des médailles d'or de "Monde sélection" sur le territoire européen, pour l'excellence de ses produits. Je pense à Claude Savoie, un entrepreneur-né, un homme d'affaires qui possède l'instinct de Bay Street, et qui continue de nous impressionner. Je pense à Bernard Cyr et à Bernard Imbeault, qui au cours des années se sont taillés une place enviable dans la restauration sur la scène internationale. Enfin, je pense à Bertin Nadeau, à tous ceux et celles qui réussissent et qui sont autant d'exemples de succès.

Le Premier ministre Mulroney a par ailleurs rappelé à la délégation de la SNA, à quel point il avait été impressionné par le dynamisme des hommes et des femmes d'affaires acadiens. De plus, le Premier ministre a souligné qu'il voyait chez-nous des changements d'attitudes extraordinaires vis-à-vis de la chose économique. Et, j'en ai la conviction, les dirigeants et les membres du Conseil économique du Nouveau-Brunswick en sont en grande partie responsables.

Ces éléments positifs devraient nous encourager à redoubler d'efforts pour <u>donner une prospérité nouvelle à nos régions</u>.

Le programme d'action annoncé dans le discours du Trône du 1er octobre indique clairement que nous entendons accélérer le renouveau économique de la région atlantique. Nous avons annoncé la création d'une "<u>Agence des perspectices de développement de l'Atlantique</u>" , dont la mise sur pied a été confié à un Acadien de Saint-Maurice, Donald Savoie. Cette nouvelle agence viendra appuyer les efforts du "<u>Programme Entreprise Atlantique</u>", dirigé par un autre Acadien, M. Gilbert Finn.

Je sais que la question économique vous intéresse autant qu'elle vous préoccupe. La réflexion est déjà entamée. Je veux ici faire référence au colloque des 15 et 16 mars 1985, organisé par les éditeurs de la Revue Égalité, et qui avait pour thème "L'Acadie de demain: de la protection linguistique au développement économique".

J'invite la SNA, tout comme le Conseil économique du Nouveau-Brunswick, à participer aux consultations qui auront lieu dans le cadre de ces nouvelles initiatives. Je suis convaincu que le gouvernement est prêt à vous écouter. Tout comme je prête une oreille attentive à votre projet "Pour un tourisme acadien en Atlantique", projet que je considère très intéressant, à bien des égards.

En ma qualité de titulaire d'un ministère à vocation économique, j'ai aussi un rôle à jouer. Notre gouvernement cherche par tous les moyens à développer et à faire éclater l'esprit d'entrepreneurship, à encourager la petite entreprise et à éliminer les obstacles qui nuisent à leur croissance parce que nous savons que ce sont de formidables <u>outils de développement régional</u>.

Je veux, avec mes collègues, créer un climat favorable à la création d'emplois, partout au Canada, et surtout au sein de nos communautés, car je sais à quel point le chômage y est dévastateur. Félix Leclerc disait "la meilleure façon de tuer un homme, c'est de le payer pour être chomeur". Dans nos communautés, ça fait des jeunes qui meurent jeunes. Outre les incidences néfastes du chômage sur nos performances économiques, je m'inquiète grandement des incidences sociales qu'il comporte, de ses effets démobilisateurs et aliénants. On parle beaucoup du seuil de pauvreté. On devrait aussi parler du "seuil économique" pour prendre part à la vie sociale, économique, culturelle, quand on est chômeur, on est souvent placé, par la force des choses, en marge de la société. Il n'est pas facile alors de parler de développement, surtout quand 20, 30 ou 40 % de la population active de nos communautés se sentent plus ou moins exclus, au départ. Nous nous ne pouvons nous payer le luxe de nous passer de leur contribution.

Lorsque notre assise économique sera plus forte, lorsque nous serons collectivement prospères, je suis convaincu que tout deviendra pour nous plus facile. Nos revendications linguistiques, sociales et culturelles seront plus faciles à véhiculer, parce que l'on pourra montrer à nos interlocuteurs que nous ne sommes pas -si vous me passez l'expression- des "quêteux", mais des "partenaires". Pourquoi se gêner? Montrons nos entreprises, réalisons des profits, et soyons fiers.

Pour moi, il est inconcevable d'imaginer une Acadie de l'an 2000 qui, sur le plan économique et social, ne puisse pas vivre dans la dignité et le respect. Comme il m'est inconcevable d'imaginer une Acadie qui ne parle plus ou presque plus le français. L'Acadie de l'an 2000 parlera français, ou ne sera pas.

On dira... oui, mais jamais la langue française n'aura été aussi menacée, jamais l'assimilaton aura-t-elle fait, ces dernières décennies, de si grands ravages dans nos rangs. C'est en partie vrai. Cependant, jamais aurons-nous été mieux équipé et mieux appuyé pour maintenir et faire rayonner la langue française.

Tout récemment, Radio-Canada a procédé à l'ouverture d'un nouveau studio de radio de langue française à Halifax. Cette semaine, nous avons appris que le gouvernement de la Nouvelle-Écosse se penchait sérieusement sur le projet de construction d'un centre scolaire communautaire dans la région d'Halifax-Dartmouth. À Terre-Neuve, les négociations progressent rapidement pour la construction d'une école française à Grande Terre. Ce sont là des éléments qui nous permettent de fonder de nouveaux espoirs pour la préservation et la promotion de la langue française.

Au Nouveau-Brunswick, le récent débat sur la révision de la politique linguistique n'a pas encore produit les résultats escomptés.

L'intransigeance de certains citoyens anglophones du style pur sucre, pur beurre, pure laine et laine pure, la molesse de certains hauts-fonctionnaires francophones mus par des considérations douteuses et l'ambivalence de certains de nos élu(e)s ont amené le gouvernement à remettre à plus tard l'adoption de mesures concrètes.

Il est heureux que les intervenants acadiens aient évité, lors de ce débat, de se comporter de façon violente et belliqueuse. Il ne faudrait pas toutefois que notre pacifisme linguistique soit interprété comme un renoncement volontaire à l'égard de nos droits les plus légitimes. Si "notre oppression est trop douce pour susciter la révolte", comme le disait André Laurendeau, nous devons tout de même continuer à nous affirmer, sereinement et fermement, afin que les autorités politiques poursuivent leurs démarches sur la voie du progrès et de l'égalité.

De nombreux organismes travaillent à la défense et à la promotion de la langue française. Les circonstances difficiles dans lesquelles ces organismes ont à oeuvrer les amènent peut-être trop souvent à se consacrer un peu trop à la défense de la langue, et trop peu à sa promotion.

Je le répète: Il faut que chacun de nous, nous fassions un effort supplémentaire pour promouvoir la langue française. Il faut éviter que notre langue ne devienne une langue vernaculaire; elle devra plutôt être véhiculaire, pour nous permettre d'établir des liens entre nos communautés.

Je suis un grand partisan du rapprochement des régions: je veux contribuer à faire en sorte que les trois régions françaises du Nouveau-Brunswick communiquent, se parlent, se comprennent. Il en va de même pour les autres communautées acadiennes de l'Atlantique. Or, si Caraquet est jumelée à Marennes, si Shippagan est jumelée à Loudon, je m'étonne que l'on ait pas encore pensé, au moins il me semble, à jumeler Saint-Léonard et Shippagan, Edmundston et Dieppe, Pubnico et Chéticamp, Miscouche et Tignish.

Il en va de même sur le plan national et international. Depuis la fin des années 60, la SNA a énormément contribué à jeter des ponts avec les communautés de langue française. Nous en avons tiré d'énormes bénéfices. Aujourd'hui, ce qui était auparavant du saupoudrage est en train de prendre la forme de relations constantes.

Le Sommet de la francophonie, qui s'est réuni pour la première fois en février dernier, est à cet égard très prometteur. Et puisqu'il faut bien rendre à César ce qui lui appartient, je me dois de souligner le rôle de premier plan qu'a joué notre Premier ministre, M. Mulroney, dans la réalisation de ce premier sommet.

J'en suis bien conscient, la SNA n'a pas encore digéré le fait qu'elle ait été exclu de ce premier rendez-vous de la francophonie.

Comme vous le savez sans doute, le gouvernement fédéral apportera sous peu des modifications à la loi sur les langues officielles et ajustera d'autres lois, le code pénal par exemple, de façon à resserrer davantage le tissu législatif touchant les langues officielles pour qu'il forme vraiment corps avec la constitution et la charte canadienne des droits et libertés.

Au sein de l'administration fédérale, les mesures que le gouvernement s'apprête à prendre viseront surtout à promouvoir la coopération et à amener les ministères et organismes de l'état à prendre encore mieux aux exigences de la loi, mais surtout aux besoins et aux aspirations des communautés linguistiques.

Personnellement, je partage l'avis d'observateurs chevronnés qui considèrent, à la lumière de l'expérience des 17 dernières années, que la réforme qui est annoncée ne soit pas qu'une entreprise de maquillage ou de cosmétique. La réforme devrait en effet s'attaquer à corriger des lacunes flagrantes.

Au début des années 1980, l'adoption de la Charte canadienne des droits et libertés avait donné un espoir nouveaux aux communautés de langue officielle. De plus des leviers politiques, on pourrait dorénavant compter sur les tribunaux, et sur une interprétation large et généreuse des dispositions constitutionnelles, pour faire évoluer nos droits linguistiques.

Le récent jugement de la Cour supême du Canada dans L'affaire de la Société des Acadiens du Nouveau-Brunswick nous a fait comprendre ce que l'on savait déjà: le rôle des juges est d'analyser, d'interpréter, voire de clarifier les lois, mais pas de les changer, d'en infléchir le sens, ou d'en créer de nouvelles. Ainsi, dans la cause mentionnée plus tôt, la Cour a jugé que la constitution ne reconnaissait pas le droit d'être entendu par un juge qui comprenne, sans intermédiaires, la langue des intéressés.

Je réitère ce que j'ai déjà déclaré, à ce sujet, devant les juristes francophones du Nouveau-Brunswick réunis à Moncton le 24 octobre dernier. Je vois d'un bon oeil toute proposition de modification constitutionnelle visant à garantir le droit des citoyens du Nouveau-Brunswick, dans les instances civiles, à comparaître devant un juge qui comprenne leur langue. C'est là un droit que j'estime fondamental.

J'ai la ferme intention de prendre part à ce processus de révision. Vous avez aussi le devoir d'y participer, au nom du peuple acadien. Mais qui le fera?

Le 5 novembre dernier, à Ottawa, non pas à brûle pourpoint mais dans le cadre officiel des discussions sur les modifications à apporter à la loi sur les langues officielles, en présence de M. Crombie, j'ai demandé à la délégation de la SNA qui serait le porte-parole des communautés acadiennes et francophones de l'Atlantique. On m'a répondu "La FFHQ est beaucoup mieux équipée que nous pour participer à la consultation".

Pourtant, Père Comeau, hier soir vous disiez, en parlant de la FFHQ, et je cite, "Qu'elle n'est pas intéressée à l'Acadie comme telle, le concept d'un peuple acadien lui donne la nausée. Chaque fois que nous avons cherché à nous faire reconnaître comme peuple acadien, la FFHQ a eu un haut-le-coeur". Fin de la citation.

Comprenez-moi bien. Je ne chercher pas à semer la "bisbille". Mais arrêtons de nous diviser. Et faisons-nous une idée. Quel porte-parole le gouvernement fédéral, dans ces circonstances, devrait-il privilégier?

Quoiqu'il en soit, le gouvernement fédéral est attentif à nos besoins. Il l'a été dès les premiers moments de son accession au pouvoir. Pourtant, des gens croient encore que ce gouvernement ne fait rien pour les Acadiens.

Je lisais récemment un article publié dans l'Acadie Nouvelle, un article qui remonte au 30 septembre 1985. Pour connaître l'opinion de ses lecteurs sur la première année du gouvernement Mulroney, l'Acadie Nouvelle avait lancé un sondage-maison. Le journal rapporte des propos tenus par des répondants. On peut lire, et je cite:

"Ils croient que M. Mulroney considère les Acadiens comme des citoyens de 2e classe, voire même des ignorants, puisqu'il a nommé très peu d'Acadiens à des postes de responsabilité et à des organismes gouvernementaux".

Mes chers(ères) ami(e)s, il n'y a rien de plus faux. En fait, depuis deux ans, le gouvernement a procédé à la nomination d'au moins 25 personnalités acadiennes à des postes importants.

Faisons en sorte que les affinités l'emportent sur les disparités, travaillons ensemble à bâtir l'Acadie de demain, et bon Dieu, épargnons-nous le zèle de dévôts!

Faisons de ces personnes des interlocuteurs, associons-les à nos démarches, faisons-leur connaître notre perception de la réalité acadienne, et j'en suis convaincu, nos objectifs auront encore plus de chances d'être atteints.

Je souhaite que les Acadiens et les Acadiennes du Nouveau-Brunswick, de la Nouvelle-Écosse, de l'Ile-du-Prince-Édouard et les francophones de Terre-Neuve auront la sagesse de découvrir et de cultiver de profondes affinités entre leurs destins réciproques.

Les échanges de vues qui peuvent se faire sous l'égide de la SNA, ou au cours de rencontres comme celles-ci ouvrent davantage les portes à un dialogue qui permet d'approfondir notre compréhension mutuelle des réalités, au demeurant fort différentes, que vivent chacunes de nos communautés. N'oublions surtout pas que si la vérité est multiple dans sa défense, elle demeure unique dans son essence.

Au-delà de l'auditoire de ce soir, qui les représente de façon éloquente, je voudrais saluer mes compatriotes acadiens et francophones du Nouveau-Brunswick, de la Nouvelle-Écosse, de l'Ile-du-Prince-Édouard, ainsi que de Terre-Neuve et du Labrador. Je salue tous ceux et celles qui par leur dévouement donnent force et vitalité à nos communautés. Je veux leur dire, comme à vous bien sûr, qu'ils peuvent compter sur mon appui et ma collaboration. Nous poursuivons, il me semble, le même but. Il serait malheureux que nous n'empruntions pas la même route pour y parvenir.

Mettons ensemble un terme à cette Acadie qui, pour reprendre les paroles du poète Herménégilde Chiasson, "Parle à crédit pour dire des choses qu'il faut payer comptant, qui emprunte ses privilèges en croyant gagner ses droits...". Bâtissons ensemble une Acadie qui ne soit pas en "Stand By": donnons-nous des objectifs clairs et compris de tous. S'il est important de se montrer pragmatiques, prenons aussi le temps de rêver et répétons-nous, comme le disait le Permier ministre Hatfield à Edmundston, le 19 février 1985, et je cite:

"La réalité est à l'image de notre conscience et notre avenir aura la dimension de notre imaginaire".

Fin de la citation.

Mes chers amis, je vous souhaite de bonnes et de fructueuses délibérations. Et n'oubliez pas que vous avez des amis partout, y compris à Ottawa.

Table des matières

Achevé d'imprimer à Montmagny
par les travailleurs des ateliers Marquis Ltée
en juin 1987